河南地下水资源与可持续发展研究

许志荣　著

黄河水利出版社

内 容 提 要

本书以黄淮海平原河南地区为重点,比较系统地分析论述了北方平原区浅层地下水资源评价理论和方法;合理地下水位调控与旱涝盐碱的综合治理;华北黄河冲积平原和河南平原区浅层地下水系统;地下水资源可持续开发利用问题和对策。可供水利、地矿、城建、环境、地理、规划等专业部门的科技、管理人员参阅,也可作为有关大专院校师生的参考书。

图书在版编目(CIP)数据

河南地下水资源与可持续发展研究/许志荣著.—郑州:黄河水利出版社,2004.5
ISBN 7-80621-782-7

Ⅰ.河…　Ⅱ.许…　Ⅲ.地下水资源-研究-河南省　Ⅳ.P641.8

中国版本图书馆 CIP 数据核字(2004)第 029686 号

出　版　社:黄河水利出版社
　　　　　地址:河南省郑州市金水路 11 号　　邮政编码:450003
发行单位:黄河水利出版社
　　　　　发行部电话及传真:0371-6022620
　　　　　E-mail:yrcp@public.zz.ha.cn
承印单位:黄河水利委员会印刷厂
开本:787mm×1 092mm　1/16
印张:10.625
字数:245 千字　　　　　　　　　　印数:1—1 500
版次:2004 年 5 月第 1 版　　　　　印次:2004 年 5 月第 1 次印刷

书号:ISBN 7-80621-782-7/P·32　　定价:26.00 元

序

改革开放以来,我国国民经济进入高速发展时期。但我国是一个13亿人口的大国,经济实力还比较薄弱,科学技术相对落后,人口、资源与环境之间的矛盾,将不可避免地日趋激化。例如水资源的供需矛盾日益紧张,特别是人为作用影响下,水质污染以及由于地下水不合理开采所造成的各种负环境效应,使水资源紧张更趋尖锐化。我国政府一再强调,经济建设必须与人口、资源、环境相协调,坚持实行可持续发展的基本国策。当前水资源问题更为突出,已成为制约国民经济发展和影响人民生活的重要因素。河南省的情况也不例外。河南省地处半干旱、半湿润气候带,自然灾害比较严重,水资源相对紧缺;但水文地质条件较为优越,地下水资源相对较为丰富。如何合理开发利用河南省宝贵的地下水资源,满足国民经济发展对水资源的需要,将成为有关科技人员在新世纪所面临的严峻挑战!

许志荣同志长期从事水文地质调查和科学研究工作,特别在浅层地下水资源评价理论和方法研究、地下水系统和环境水文地质研究等方面,取得了较为突出的成果。由他负责完成的河南省商丘地区浅层地下水资源评价攻关研究,创造了优化控制地下水位、扩大降水入渗、实行人工调蓄的新方法。这一方法不仅扩大了地下水资源量,而且对治理盐碱洪涝等自然灾害,也起到明显效果,对合理开发利用华北地区地下水资源,具有重要指导意义。通过对郑州市北郊黄河岸边浅层地下水侧渗补给的研究,他提出傍河开采地下水的方案被采纳,由此兴建了日采30万t的大型水源地,基本解决郑州市严重缺水的问题。他与我合著的论文《中国华北黄河冲积平原地下水系统》,被选作为亚洲典型实例,纳入国际水文计划(IHP)地下水流系统研究国际合作项目中全球六大实例研究之一,由国际水文科学协会(IAHS)正式出版,在国际上影响较大。

许志荣同志退休以来,仍然继续发挥余热,一心一意为河南水资源的合理开发献计献策;先后主持完成"郑州市城市水资源与可持续发展研究"、"郑州市城市应急供水方案与对策研究"、"河南省水资源开发潜力研究"等重大科技项目,并提出开发三大库容(地表水库容、土壤水库容及地下水库容)的新思路,为有效利用河南省水资源指出了新途径和新方向。

总之,他在理论上有不少创见,如关于降水入渗机理与最优水位的理论,关于傍河侧渗机理与包气带水分运移机理的研究等。他的主要特点是理论联系实际,他的许多建议被采纳并付诸实施,使科技成果真正能够转化为生产力,取得显著的社会、经济、环境效益,为河南省国民经济的可持续发展,做出了重要贡献。他在组织多学科进行联合科技攻关研究方面,也有突出成绩,因而在同行中具有较高声望。由于他在水文地质方面理论研究和生产实践所取得的成就,曾获得国家级、省级及部级等各类科技奖达十余项。该同志具有良好的学风和职业道德,曾被授予国家有突出贡献中青年专家、全国"五一"劳动奖章、全国和省的优秀科技工作者,以及全国地质系统劳动模范等称号。

许志荣同志热爱社会主义,热爱水文地质事业。这本文集是他研究、工作的部分主要成果,也是他多年辛勤耕耘的系统总结。文集的付梓面世将更有利于发挥这些研究成果的积极作用,对促进我国水文地质事业发展必将进一步做出贡献!当此书即将出版之际,我愿为这本新书的问世表示衷心的祝贺!

中国科学院资深院士　　陈梦熊

2003 年 12 月

前　言

　　地下水资源,是水资源的重要组成部分,它既可以直接被开采利用,又在水资源开发管理中起着重要的调节作用。水资源问题,是当今世界很多国家都在进行研究的重要课题。这是因为水在人类社会中是无法替代的必要物质,并且随着社会经济的发展,水的需求量将继续增加,从一定意义上说,水资源的短缺已经成为社会经济发展的主要制约因素;另一方面,水资源破坏和水污染,必然给人类社会生活环境和生态平衡造成很大危害,"水质型缺水"更加剧了水资源的供需矛盾。因此,查清水资源家底,综合规划水资源,科学开发利用水资源,管理好与保护好水资源,愈来愈引起人们的关注和重视。

　　1960年我开始投身水文地质事业,转瞬之间,已逾花甲之年。前20年,我经历了城市和农村大规模开发利用地下水资源的阶段,当时水文地质工作者的主要任务是开展地下水资源勘察和评价研究,为打井建设提供科学依据。1963年我参加地质部水文地质工程地质局陈梦熊总工领导的黄淮海平原水文地质图的编图工作,受益匪浅。1965～1976年我到焦裕禄同志曾经工作过的兰考县及旱涝盐碱风沙十分严重的豫东平原参加水文地质普查和勘察,与市、县水利部门通力合作,用水均衡法和开采模数法初步评价浅层地下水资源,在浅层咸水区和贫水区找到了中深层淡水资源及3 000km² 的深层自流水区,为农田供水打井建设提供了科学依据。国家十分重视北方地区地下水资源评价与合理开发利用研究工作,1976年将"我国北方地区地下水资源评价与合理开发利用"列为国家重点科研项目。同年5月,国务院有关主管部门在西安联合召开"我国北方干旱、半干旱地区水利资源开发利用(地下水部分)规划会议",提出大面积地下水资源评价理论和方法的研究课题,并确定地质矿产部水文地质工程地质研究所为攻关研究组的主持单位。攻关组于1976年9月在正定召开第一次工作会议。我有幸参加了以上两次重要会议,介绍了我们在商丘地区的水文地质工作成果,地质矿产部确定商丘为试点地区之一。1977～1980年,我和北京大学肖树铁教授、武汉水电学院李文渊教授一起主持完成了"六五"国家科技攻关研究项目"河南省商丘地区浅层地下水资源评价攻关研究"。系统总结大面积平原区浅层地下水资源评价理论和方法,提出浅层地下水资源评价的全过程基本可归结为四个方面的内容:①查明地质结构和水文地质条件;②建立与地下水运动条件相适应的数学模型,取得各种参数;③因地制宜选择合理的评价方案;④提出合理开采利用地下水的方案,建立最佳管理模型。通过商丘试点,并总结出综合治理黄淮海平原旱涝盐碱灾害的科学方法,即优化控制地下水位、扩大降水入渗、实行人工调蓄的新方法。地矿部曾两次在商丘召开"商丘经验"推广交流会。该项研究成果在我国北方平原地区推广应用,取得了盐碱地改造、洪涝灾害治理和农业生产发展的明显效益。本书第二部分主要论述了这方面的内容。

　　随着社会经济的发展,人口的增长,人民生活水平的不断提高,供水问题愈来愈显得紧张。与此同时,超量开采地下水也引起许多环境负效应问题,如地下水污染,地下水位大幅度下降、降落漏斗面积不断扩展,生态破坏,泉水枯竭,湿地萎缩,地面沉降等。于是,以水资源的可持续利用支持经济社会的可持续发展,这样一个重要的问题提到了议事日程,也向水文地质工作者提出了新的更高的要求:积极探索新的治水思路,强调按自然规律办事,人与自然和谐相处,既要按照水资源的承载能力,推进水资源开发利用和社会经济的协调发展,又要着眼于水环境承载能力的提高,努力建设节水防污型社会。

我在职工作的后 20 年,正值主管河南省地矿局环境水文地质总站和河南省环保局的业务技术工作,我紧紧地将环境地质学和生态环境保护、污染治理结合起来。组织完成了国家重点科技攻关项目第 38 项"华北地区水资源评价和开发利用研究"中 7 项子课题的研究。组织省、市环保部门完成了河南省工业污染源调查,海河流域(河南省)水资源保护规划,水污染防治、水资源保护、酒精糟液农田灌溉利用、污水土地处理试验研究及应用;和安阳市环保局一起总结出"查水、治水、管水、保水"的水污染防治的八字方针,使安阳市以水污染防治为重点的环境综合整治取得良好效果。国务院环保委员会于 1989 年在安阳市召开全国第二次水污染防治工作会议,肯定安阳市的经验对全国有一定的指导意义。

在我任河南省政协委员的 15 年间,积极参政议政,为社会经济发展献计献策,带领考察并编写了《积极开发郑州花园口黄河岸边浅层地下水资源》、《关于环境污染与综合利用的调查报告》、《关于河南省淮河流域洪涝旱灾治理建议》等省政协建议案,有的已被采纳。如郑州市已在北郊黄河岸边兴建日采 30 万 t 的地下水水源地,大大提高了城市安全供水程度。

20 世纪 80 年代初,我和陈梦熊总工程师合编《地下水系统研究论文选编》,引进国际先进的地下水系统理论,在我国推广应用,起到良好效果。与陈梦熊院士合著的论文《中国华北黄河冲积平原地下水系统》,被选作为亚洲典型实例,纳入国际水文计划(IHP)地下水流系统研究国际合作项目中全球六大实例研究之一,由国际水文科学协会(IAHS)正式出版。

从正厅级岗位退休后,近几年,我又主持完成了河南省重大科技项目"郑州市城市水资源与可持续发展研究"、"郑州市城市应急供水方案与对策研究",获河南省 2001 年重大科技成果二等奖。主持完成了"河南省水资源开发潜力研究"、"开封市城区地下水资源控制开采与保护研究"、"河南省地下水保护行动计划"等项研究。这一阶段的成果突出了以下内容:①应用地下水系统理论,着重研究降水、地表水、土壤水和地下水之间的转化规律及其在实际中的应用;②自 1984 年起多次建议河南省应考虑重新调整治水方略,提出在抓紧构筑工程水库的同时,应抓紧搞好"生物水库"的建设。我认为工程水库应包括三种"库容"——地表水库容、土壤水库容及地下水库容。只有将工程水库和"生物水库"一齐抓,有机结合,才能使降水和雨洪得到充分调蓄与利用,而且可以防治洪涝灾害;③在对水资源开发、利用、治理的同时,应特别重视水资源的配置、节约、保护。既要满足生产用水、生活用水,也要统筹规划生态和环境用水。本书一、三、四部分重点论述了这方面的内容。

以上概略介绍了本书的基本内容与主要思路。由于本人学识浅薄,对上述问题尚缺乏深入研究,提出的看法与建议也十分粗浅,有的想法还很不成熟,故不免存在许多谬误之处,谨请读者、同行专家不吝指正。作为一名环境水文地质工作者,水,成了我生命中不断追求的事业,我愿与关心水资源问题的同志们交流切磋,加强合作,共同努力,为水的可持续利用及社会经济发展,发挥潜能与余热,继续做点微薄贡献。

本书出版得到了中科院陈梦熊院士的大力支持、帮助与热情鼓励。在此,表示衷心感谢。

作　者

2003 年 12 月·郑州

目　　录

地下水系统的基本理论及其应用

浅层地下水资源评价和合理开发利用

合理开发水资源的提案与建议

水资源与可持续发展

地下水系统的基本理论及其应用

地下水系统的基本概念与研究方法

　　1983年5月2日至6日,由联合国教科文组织(UNESCO)、国际水文计划荷兰国家委员会以及荷兰应用科学研究组织(TNO),在荷兰诺德维克会议中心联合召开了"地下水系统调查方法和量测仪器"的国际专题讨论会。会议以地下水系统调查方法为专题(即国际水文计划中的A2·5研究专题),着重讨论了地下水系统的基本概念、野外工作方法、水文地质参数测定,以及当前水文地质勘探试验技术的最新发展等问题。大会论文集共发表论文59篇。从这次专题讨论会可以看到,近几年来,各国在地下水系统研究方面有了较大进展。主要表现在对地下水系统的概念、分类、工作方法、定量描述等进行了深入研究,并取得了一些研究成果。地下水系统新理论逐渐形成。这次专题讨论会(MIIGS)的主要内容,除探讨地下水系统的基本概念外,侧重讨论确定地下水系统有关参数的方法,包括和时间有关的以及和时间无关的两种参数。下面对地下水系统的概念、类型、研究内容和研究方法,作一概括介绍。

一、地下水系统的基本概念

　　地下水是自然界总水资源的一部分。地下水系统只是全球水循环系统中的子系统。全世界有许多地区,地下水资源已成为最重要的供水来源。而人类活动对地下水所造成的各种影响,使地下水的调查研究和进行资源评价越加复杂化。因而许多国家正在试图应用系统方法的原理,探索新的水文地质调查途径。

　　目前,关于"地下水系统"还缺乏一个明确的定义;一些涉及"地下水系统"的有关名词或术语,也比较混乱,含义不清,因而对"地下水系统"至今尚未形成一个完整的、统一的概念。荷兰阿姆斯特丹自由大学教授英格伦博士认为,"地下水系统"可以看做在时间和空间上具有四维性质、能量不断新陈代谢的有机整体。它可以从出生、成长、一直到衰老或消失。它的主要特性表现在:①边界类型的模式;②容积;③结构;④阻力或势能转换能力;⑤流出系统;⑥相邻系统之间的联系;⑦水质类型和模式;⑧地下水系统的发展"历史"。

　　苏联H.B.鲍柯夫斯卡娅在《水文地质学概念的现状和预测问题》一文中指出:任何一个复杂系统可归纳为三个方面:①系统的组成;②系统的结构,它表征系统与周围介质的相互作用和系统内各要素的相互联系;③系统的作用、性质和发育历史。

　　地下水圈呈现一个多组分的复杂系统,其特点表现为系统内各组分及其相邻的系统(大气圈、陆上水圈、生物圈、地幔层和宇宙)的组分之间的相互作用。地下水圈多组分的概念,是以运移条件和物质存在形式都不同的各系统组分之间的边界条件的存在为前提的。在此基础上进行着物质(水流和化学物质)和能量(热能、势能)的转换。

　　从系统分类方法的观点来看,地下水圈是一个处于等级从属关系的许多单元组成的复杂的动力学系统。水循环是决定地下水圈的作用和演化的主要机制,根据这一机制,可以在其范围内划出界线。在水循环各部分相互作用影响下发生演变,表现为水质水量的变化。水圈的演变是它各个部分长期作用的结果。

鲍柯夫斯卡娅提出了"水文地质系统"这一术语,作为水圈地下水部分的基本单位。它占有一定的三度空间体积,周围被具有自然特征的较高梯度的面所限制;这一界限为水文地质系统的数学研究创造了前提,即在一定边界条件下,为定量描述系统内物质流动提供了基础。水文地质系统的每一个单元,可能构造很复杂,并且实质上是次一级系统(亚系统)。通过对系统的研究,运用计算机模拟影响子系统的各类作用,就可建立模拟模型,并与优选法结合起来,就能制订控制系统的最佳方案。鲍氏提出的"水文地质系统",在含义上和本质上与"地下水系统"并无明显差别,只是所采用的名词有所不同而已。

1984年的莫斯科会议上,法国G.卡斯塔尼在分组会的报告中,认为正确的水资源评价,必须从水资源保护、防止水资源枯竭、控制地下水污染和保护生态系统平衡出发,对地下水系统进行定量描述,主要包括六个基本内容:①非均质含水介质的空间分布特征;②补给量与排泄量随时间的变化;③包气带水与矿物溶解物质的运移和变化;④温度场的变化;⑤合理开发和管理地下水资源的经济指标,即开采资源的基本平衡;⑥建立水文地质概念模型,为进一步建立数学模型奠定基础。

卡斯塔尼指出,每一个地下水系统都具有一定的时空特征及其水动力系统,并有固定的平衡形式和一定的水资源类型。归纳起来,具有如下综合特征:①具有一定的连续空间范围(流域、盆地、建造);②地下水与空间介质的机械作用,包括水动力作用、水热作用和水生物作用;③水循环的连续性,表现为含水系统的时间状态,其连续性表现为脉冲—反应的双重性质。

根据上述特征,地下水系统可划分为:①以流域为水资源均衡单位的地下水系统,它包括地表水、地下水及大气降水的均衡;②水文地质盆地为水资源均衡单位,包括完全充满或未充满的盆地中的地下水,通常浅部含水层更有利于补给与开采;③深部含水介质中的地下水,通常不具备平衡的意义,一旦开采就不易恢复,如北非的深层地下水及巴黎盆地地下水。

水文地质概念模型是在地下水系统研究的基础上所建立的综合模型,主要反映边界条件、补给量、排泄量、潜水及承压水的水动力、水化学特征及其相应参数的空间分布与形成的全部结构。

美国地质调查所水资源处拉尔夫.C.海斯认为:"地下水系统"这一术语,指的是从潜水面到岩石裂隙带底面的这一部分地壳,是地下水赋存和运动的场所,由含水层(作为地下水运动的通道)和围闭层(阻碍地下水运动)所组成。有一些水文地质学家认为,地下水系统,指的是具有某种性质的岩石集合体,它能自由地容纳水和运移水,并与其他不能自由容纳水和运移水的岩石相邻接。美国道济(Dooge,1967)认为,地下水系统的定义是:"任何真实的或抽象的结构、装置、方案或过程,在一定的时间内所反映的物质、能量、信息的输入和输出及其演变关系。"

美国R.C.希思(1982)按照地下水系统的五个特征将美国划分为14个区,这五个特征是:

(1)系统的组成要素,包括含水层(承压和无压)、弱透水层、隔水层及其组合关系。

(2)主要含水层含水空隙的性质,包括原生的与次生的。

(3)主要含水层的岩性,包括可溶的与不可溶的。

(4)主要含水层的贮水与导水性。

(5)主要含水层的补排条件。

美国 S.多曼尼克(1972)认为,在地下水的研究中,无论是从科学研究、工业建设,还是资源管理的角度出发,都涉及到各自不同的地下水系统。根据所研究的问题和目的的不同,系统可大可小,可简单可复杂,从源到汇的两条平行流线直至整个水文循环,都可应用系统这一概念。多曼尼克还认为,研究问题应用系统概念,这是一种研究方法,其特点就是把所研究问题的各个有关方面联系起来,作为一个整体来对待,并对系统建立模型和运行模拟,以求得对问题有效而合理的解决。

上面对地下水系统的各种解释,其中有的实际上接近含水层系统的概念。而含水层系统只是以含水层为基本单位的一组具有固定边界的、互有联系的、同一时代或不同时代的若干含水岩组。而地下水系统,则指在时空分布上具有共同水文地质特征与演变规律的一个独立单位,它可以包括若干次一级的亚系统或更低的单位。因此,一个含水层系统,可以由于水文物理、水文地球动力、水文地球化学及水文地热等综合因素,而划分为若干个地下水系统,每个系统具有各自的水动力系统和水化学系统,彼此间互相联系又互相影响。其形状与范围可因内外动力作用和能量转化的影响而发生变化,所以它的边界,是自由可变的,即可以因水动力作用而发生收缩或扩大。由此可见,地下水系统与含水层系统在性质上是不同的,代表两个不同概念。

研究地下水系统不能脱离这一地区的水文系统,它是水文系统中的一个重要组成部分,所以地下水系统与地表水(包括降水—径流)系统存在不可分割的关系。地下水系统实际上受地表水的输入系统与输出系统的控制,它的演变与发展过程,往往就是地下水系统与地表水系统互相转化演变的过程,其演变规律既受各种天然因素的影响,同时也受各种社会环境因素特别是人类活动的干扰与影响。

由此可知,地下水系统是一个错综复杂,包括各种天然因素、人为因素所控制的,具有不同等级的互有联系又互相影响,在时空分布上具有四维性质和各自特征、不断运动演化的若干独立单元的统一体。所以只有运用系统分析的方法,才有可能把如此错综复杂、支离分散的认识,概括在一个完整的系统结构内,这一个统一结构,就是我们所称的地下水系统。

综上所述,地下水系统的基本概念,可以归纳为:

(1)地下水系统是由若干具有一定独立性而又互有联系、互相影响的不同等级的亚系统或次亚系统所组成。

(2)地下水系统是水文系统的一个组成部分,与降水、地表水系统存在密切联系,互相转化;地下水系统的演变,很大程度上受地表水输入与输出系统的控制。

(3)每个地下水系统都具有各自的特征与演变规律,包括各自的水动力系统、水化学系统等。

(4)含水层系统与地下水系统代表两种不同的概念,前者具有固定的边界,而后者的边界是自由可变的。

(5)地下水系统的时空分布与演变规律,既受天然条件的控制,又受社会环境特别是人类活动的影响而发生变化。

到目前为止,对于"地下水系统"尚未建立一个完整的、统一的被大家所公认的定义,以上只是作者根据有关文献所归纳的几点认识。为此,国际地下水委员会(ICGW)与国际水文地质协会(IAH)在国际水文计划的支持下,对此开展了专题研究,并组织了地下水系统研究的工作组,其主要任务就是要草拟一份研究报告,阐明"地下水系统"的基本概念与工作方法;包括在全球范围内,选择若干典型地区,作为地下水系统研究的实例。我国也参与了这项工作,并以华北黄河冲积平原地下水系统的研究,作为亚洲半干旱地区的一个实例。

当前,国际上都很重视地下水系统的研究,其主要原因是随着国民经济的迅速发展,各国普遍存在由于大量开采地下水而造成过量开采以及水质恶化或水质污染等问题。因此,不首先解决区域性水资源评价,就不能妥善解决局部地区的问题。研究地下水系统就是解决区域地下水资源评价的可靠途径,只有在全面研究地下水系统的基础上,才有可能正确地建立数学模型,并为建立管理模型奠定基础。

由此可见,地下水系统的研究,不仅在理论上具有重要意义,而且在实际应用上,对复杂条件下进行地下水资源评价与开展动态预测,都将提高到一个新的水平。在工作方法上,也将会导致新的改革。因此,地下水系统的研究,对水文地质科学的发展,将会产生十分深远的影响。

二、地下水系统研究的主要内容

地下水系统的研究,主要包括以下内容:①地下水系统的分类;②水文系统的研究;③水动力系统的研究;④水化学系统的研究;⑤边界性质与相邻系统关系的研究;⑥反映地下水系统的水文地质图编图方法的研究。

(1)地下水系统的分类。作为大面积的区域性地下水系统,一般按某一流域或盆地(水文地质单元)确定其范围。每一个独立的地下水系统,又可根据含水层结构、补排条件、水动力学或水化学特征,划分为若干亚系统。例如,把华北平原看做一个完整的地下水系统,根据补排关系与水动力特征,在水平方向上,可按山前平原、中部平原与滨海平原划分为三个互相联系的亚系统,在此基础上,根据含水层系统的结构,又可划分为浅层水系统、中层水系统与深层水系统。其中浅层水系统又可按单层结构、二元结构或多层结构、咸水层或淡水层、潜水或承压水,进行次一级的分类。如果从更完整的系统考虑,那么还应包括中、新生界以及早古生界与震旦亚界的诸含水岩组在内。对于每一地区地下水系统的正确分类与分级,都必须首先全面掌握地下水系统的时空分布、水文地质特征与演变规律。为了研究地下水系统的形成过程与历史演变,那么对一定地区的地质发展史,岩相古地理的变迁,以及对古水文地质的研究,具有十分重要的意义。

(2)水文系统的研究。水文系统主要由三个部分组成,即输入系统、区域地下水系统和输出系统。荷兰英格伦教授所编绘的"区域水文系统相关网络框架图"(见图1),基本

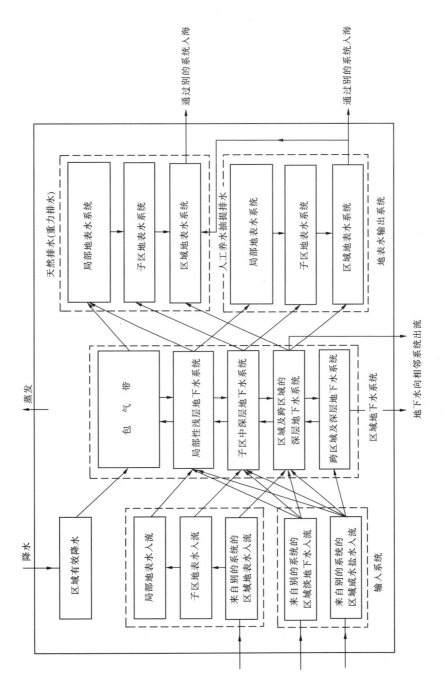

图 1 区域水文系统相关网络框架图

上表示了三者之间互相交错的复杂关系。其中输入系统主要包括降水、外区流入或本区自产的地表水、外区流入的地下径流（包括淡水及咸水）等要素；区域地下水系统主要包括包气带、浅层水系统、中深层水系统、深层水系统以及极深层水系统；地表水输出系统主要包括天然排出的地表水系统和通过人工抽吸排水的地表水系统。以上三个系统的各个要素，都存在纵向与横向之间的相互转化关系。因此，研究它们转化演变的发展过程并根据关系组成一个完整的网络结构，是建立区域性数学模型的重要基础。

（3）水动力系统。水动力系统是研究地下水系统的边界及其发展演变的重要依据。也是划分地下水系统与研究相邻系统之间关系的重要依据。根据地下水的储存、流态、流量和结构，地下水系统可划分为静态系统（流出量＝0）与动态系统（流出量＞0）两大类。动态系统又可划分为稳定系统（流出量为常数）与非稳定系统（流出量为变数）两类。非稳定系统按其性质又可划分为脉动的（平均流出量为常数）、扩张的（流出量增加）与收缩的（流出量减少）等三类。

由于人类非控制性活动影响，水动力系统又可以划分为确定性系统与随机性系统；前者因果关系是基本了解的，而后者只有在确定其概率范围内确定其期望值。根据能量的交换关系，水动力系统还可能划分为封闭系统与开放系统。前者又可划分为绝对封闭（孤立）系统与相对封闭系统。绝对封闭系统与外界完全无物质或能量的交换。开放系统与外界既有物质又有能量的交换。在开放系统中，物质能量的输入和输出达到平衡状态时，即为稳定系统，它只有空间变量而无时间变量。如果输入和输出不等，形成物质、能量的贮存或消耗，即为非稳定系统，因此它具有空间和时间两方面的变量。

综上所述，系统地分析动力系统的性质及其分类，对了解地下水系统的演变规律十分重要，只有全面掌握系统内的水动力特征，才有可能合理地选择水资源计算方法，正确地根据不同情况，建立不同的数学模型。

（4）水质系统（或水化学系统）。水质与水量是研究地下水系统的两个主要方面，两者存在密切的联系，是评价地下水资源必须考虑的重要因素。每个地下水系统都具有各自的水化学特征与特定的演变规律，形成相应的水质系统。所以水质系统也是确定地下水系统的界限与进行分类和划分亚系统的重要依据之一。

地下水水化学在时间和空间上的不断变化，主要受含水层的物质成分、迁移作用和交迭作用三个要素的控制，所以地下水自输入至输出的水质演变过程，主要反映在上述诸要素所形成的三个互相联系的亚系统上，即迁移系统、交迭系统与岩性系统。其中迁移系统又可划分为层流或紊流条件下的稳定流和不稳定流，以及对流、扩散流和弥散流等不同的流动模式。交迭系统包括各种物理的、化学的和生物的作用过程。含水层岩性系统包括各类渗透性能不同的土层或岩石。

水质系统的演变规律，可概括为以下程序：①输入；②通过系统的路径；③沿途遇到的各类物质成分；④水流滞留时间与流速的变化；⑤交迭作用的速率及临界值。根据水质系统的结构，迁移还可划为渐变的或突变的。一般情况下浅部水力交迭强烈，迁移作用取代了弥散作用和扩散作用，中部和深部流速向下逐渐减小，扩散流逐渐取代交迭迁移。深部是地下水的停滞部分，仅存在扩散迁移模式。

地下水的流线在输入过程中常因以下情况而发生偏离现象：①含水层的不同成分形

成"活泼"区或"惰性"区;②由于温度或热动力系统的异常造成密度流,流线偏离的强弱与密度差成正比;③受人为作用的影响,如人工补给或生产开采。总之,水质系统是物质成分、迁移、交迭三个亚系统的叠加综合组成,是地下水系统的一个组成部分。对一个水质系统的认识,仅了解已知的输入或输出部分是远远不够的,只有认识迁移、交迭、物质成分三个系统的相互关系与演变过程,才有可能对水质特征作出完整的描述,并对水质的演变作出预测。

地下水质污染的研究,也必须在分析地下水系统的基础上,根据污染水的水质、水温、密度和含水层的岩性(包括活动区与非活动区),以及地下水的流线系统,分析水质的迁移、交迭过程。只有在此基础上,才能查明污染物质的运移规律,为合理布置观测孔,正确确立取样深度提供科学依据,并为采取防治措施奠定基础。

(5)边界类型与相邻系统间的关系。地下水系统的边界,主要决定于地质、水文地质条件,包括前述水文系统、水动力系统、水质系统等因素的控制。边界类型可划分为相对稳定的和自由可变的两大类。可变边界又可划分为收缩的或扩大的两种类型。由于边界具有可变性,因此相邻系统(包括亚系统)之间,可因互相干扰而使边界的范围或形状发生变异。输入系统、水动力系统以及水质系统的演变,往往是影响边界的主导因素,而人类活动往往是导致边界异化的主要原因。因此,对地下水系统的研究,不能不特别重视社会环境的影响。例如修建水库、运河、大规模城市建设或森林植被的破坏,不仅影响地区的环境生态系统,也直接或间接影响地下水系统。三废(废水、废气、废渣)对地下水造成的水质污染,以及由于地下水的无控制开采,造成水位持续下降、海水入侵,水质恶化以及地面沉降等环境水文地质问题,都成为对地下水系统边界的干扰因素,这些因素对建立区域性的随机性模型,都是必须加以考虑的。

(6)反映四维特征的水文地质图。在分析研究地下水系统的基础上,如何编制一张能反映地下水系统、具有四维特征的水文地质图,是当前有关地下水系统研究的重要课题之一。一张水文地质图不仅要反映地下水系统的基本结构及其时空分布,并且要反映相应的水文系统、水动力系统以及水质系统的主要特征与演变规律。因此,水文地质图的编图原则,应以渗透场、水化学场与水文地温场为基础,反映在三度空间中时空变化和地下水在流域内水动力、水化学和水文地温的结构,包括边界条件、相邻系统间的交换关系以及各种社会环境因素,作为建立水文地质模型的基础。这就需要在编图内容与编图方法上进行全面的革新;不少国家目前正在朝着这个方向进行深入的探索。

法国 G.卡斯塔尼指出,运用平面图和剖面图综合表示从现场和实验室收集的下列四组资料的有关数据,形成地下水系统的水文地质概念模型。

这四组资料是:

(1)水文地质建造的特征。

(2)地质边界条件和水动力学边界条件。

(3)两个水动力学参数。

(4)水位和流量在地下水系统中的空间分布情况:压力水面和流量系统。

水文地质概念模型是通过处理现场所获数据和稳定流状态下调整数值分配模型建立的。

列举以下两个实例：

【例1】 法国南部克洛(Crau)平原冲积层潜水含水系统的水文地质概念模型(图2)。

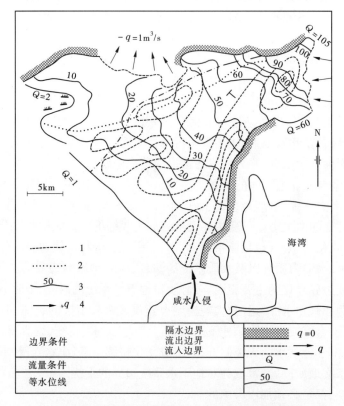

图2　根据现场综合资料和调整数学模型建立的法国南部
克洛平原冲积层潜水含水系统的水文地质概念模型
1—等导水系数曲线；2—水文地质区边界；3—等水位线；4—补给流量和排泄流量

【例2】 北撒哈拉 Coutinental intercalaire 承压含水系统的水文地质概念模型(图3)。

地下水系统研究的一个重要目标，是建立一个最优开采方案，这就需要通过运用"优化"的观点，使地下水系统的运行达到一个最理想最有利的状态。举例来说，比如某一项工程建设规模达到多大时总投资最节省，而设计水平最佳？系统工程学者通过计算，将规模与投资时间的关系绘成曲线而得出相应的"最佳点"(图4)，此点对应的建设规模和投资，经济效果最佳、浪费最小。

地下水系统的研究最终目的是为了使人类开发利用地下水资源达到最优化。其标准就是经济上最优、开采利用和管理水平最佳、环境效益最好。比如，河南省水文地质工作者，经过长期勘察和开展典型地区的试验研究，论证出有旱涝碱自然背景的黄河冲积平原区，深度40m左右的孔隙潜水——微承压含水系统，为一垂直交替型的地下水库，具有资源较丰富、水质淡、增补快、保证程度高、埋藏浅、易开采、成本低、蒸发量小、调节水位自如等优点；并总结出浅层水最优水位埋深控制在3～5m，使降水入渗补给资源增大、蒸发量明显减小。也就是说，可利用的浅层水资源的正均衡量最大(正均衡模数＝补给模数－蒸发模数)，还有利于防治涝碱灾害，使生态系统向优化方向发展。

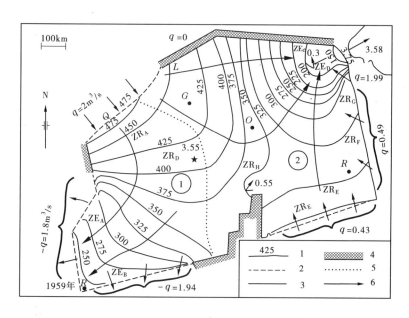

图3 北撒哈拉 Coutinental intercalaire 承压含水系统的
水文地质概念模型(据联合国教科文组织资料,1972)
1—等水位线;2—水位边界;3—流量边界、补给边界或排泄边界;
4—隔水边界;5—水文地质区边界;6—径流主要方向

地下水系统研究的野外工作,大致可划分三个阶段,即研究阶段(区域调查)、设计阶段(确定水源地)与开采阶段(监测阶段)。在不同阶段,野外工作所采取的方法与精度要求也各不相同。首先要搞清含水层系统的结构与组成要素,分析研究边界条件的性质、各系统之间的相互关系以及边界由于环境作用所造成的随机变化。对于各类参数的研究,首先在选择布点方面,要根据不同工作阶段,进行最优化分析,合理布置控制网络;在此基础上,研究天然因素与人类活动作用影响下,各类不变或可变参数

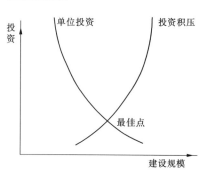

图4 建设规模和投资关系图

在各种不同作用下的形成机理,如入渗作用、渗透作用、吸收作用以及各种化学反应等。从而可以分析参数的性质,如可变或不变的、线性的或非线性的、连续的或非连续的、确定的或随机的等。

匈牙利科法克博士在《地下水系统的主要特征与重要意义》一文中指出,为了合理开发利用地下水资源,就需要运用水动力模型进行模拟来描述地下水系统的动力特征。为达到这一目的,就必须研究:①地下水系统的结构及其时空分布;②地下水系统的几何性质、水力特征与反映内在条件的有关参数;③地下水系统的边界条件及其他部分在水循环中的连接关系。法国卡斯塔尼教授在《含水层系统的水文地质概念模型》一文中,强调运用数学模拟模型对地下水系统进行研究,必须收集大量可靠的数据,包括水文、水动力、水化学及历史数据、古水文地质等四个方面。一个概念化的水文地质模型反映了各类资料

的综合,是建立数学模型的基础。由此可见,进行地下水系统研究的一个重要关键,首先是全面地掌握有关反映地下水系统特征的各类可靠的参数数据。

研究上述各种水文地质作用以及相应的各类水文地质参数,需要根据水动力、水文地球化学、热量质量转移理论以及统计数字的规律,进行系统分析,并应用各种综合手段,如勘探及抽水试验、地面物探、环境同位素、遥感技术以及数理统计方法等,来取得建立模型所必需和正确的数据。

三、地下水系统的研究方法

地下水系统研究的全过程,基本可归结为:查明地质—水文地质模型(即地下水系统赋存的环境)→建立与地下水运动条件相适应的数学模型(查明水文地质条件和形成类型、进行参数研究和资源评价)→因地制宜制订地下水资源最优开发利用方案,建立管理模型。地下水系统的研究一定不要局限于一个含水层,而应该始终想到含水层只是整个水文循环的一部分。

(一)对基本数据的要求

过去 10 年中,在应用数学技术法描述不同的水文地质工作过程方面已取得了迅速发展。数学技术主要包括:解析法、数值法、模拟法,还有定数论模型和随机模型等。但如果要充分运用这些方法和模型,就需要有极为准确的完整资料。为了调查和识别含水系统,要在野外现场收集以下四组数值:

1.储水层的水文地质数据

储水层的水文地质数据,包括地质边界条件和储水层的物理参数。用水文地质数据可以识别出连续而有限的空间范围——储水层。这一连续而有限的空间范围的大小,取决于水文地质建造或水文地质建造组合(多层含水系统)的情况。需要取得以下三组固定数据。

(1)取决于边界条件的储水层形状。地质边界条件如地质边界面:顶板、底板和侧向边界。侧向边界有:露头、岩相的侧向过渡、断层等。储水层形状还取决于厚度与面积。

(2)储水层在地下的位置。地质边界面的标高和埋深。

(3)储水层的结构。物理特征(粒度、岩相等),孔隙介质的粒度和裂隙介质的裂隙发育程度具有特别重要的意义。

2.含水系统的水动力学数据

包括以下两组数据:

(1)水动力学边界条件。水位边界条件和流量边界条件、压力水面。

(2)水动力学参数。储水系数 S、渗透系数 K、导水系数 T、压力传导系数 T/S、压力水位 H、水头 h、井底压力 h_p、地下水流量 Q、含水层单位面积流量 q、集水建筑物的单位流量 q_s,有效渗透速度 v_e 和平均流动速度 v_d、弥散系数 D。其中 S 和 T 是两个基本的水动力学参数。

3.含水系统的水化学数据

这些数据涉及到储水层的地球化学数据(可溶盐和离子交换黏土)和地下水水化学数

据。水化学数据说明水与岩石的交换特征。而介质同位素地球化学具有特别重要的意义。

4.水动力学参数和水化学参数在时间上的变化的历史资料

用所收集的数据,可以识别以水文地质概念模型表示的某已知时刻的含水系统(初始状态)。水动力学数据在时间上的变化用历史资料表示。最主要的是压力水面的变化(为综合补给量和综合排泄量之均衡差值)。法国认为 10 个水文年为一个最佳阶段。要通过连续记录来收集数据。了解水动力学参数和水化学参数在时间上的变化的历史资料,对于非稳定态下的数值模拟模型的调整来说是必要的。参数研究的对象,应包括非饱和带、储水层、围闭层(如黏土层等)。例如:要研究黏性土累积厚度很大的孔隙承压含水系统的水资源时,既要考虑储水层(含水层)中水的体积膨胀增量和含水层骨架压缩排出的水量(属于可补偿的储存资源,可调节含水系统补偿量在时间上的分配不均匀),还要考虑黏性土的释水量(属于不可补偿的储存资源,对含水系统只起一次调节作用)、越流量(可由外系统的补给量转化而来,也可由本系统或外系统的储存资源转化而来)、侧向补给量(属补给资源,其数量反映含水系统供水能力的大小)。研究资料表明,在同一水位降低时,黏性土释水量比含水层的弹性释水量大得多。黏性土的单位储水系数比含水层的单位储水系数大 3~4 倍。所以,若不考虑黏性土释水,将导致过低地评价含水系统的供水能力或调节能力,制订出错误的开采方案。

看来,今后开展水文地质工作,主要应依靠收集具有代表性的基本资料,而不是更进一步地发展模型技术。因此,收集和分析整理资料的方法学和网络设计是很重要的。其关键则是制定科学而有效的野外工作计划。

(二)资料收集的网络

要区分不同类型的网络,可分类如下:

(1)区域性监测网络;

(2)局部地区疑难问题和设计方案网络;

(3)满足研究需要的网络。

区域性网络应提供全地区的资料,在时间和空间的主要特征以及在地区范围内自然因素和人为因素的影响。

局部地区网络应有可能评价人类对设计规模的作用。

研究网络要对基本规律、调查工作的步骤以及野外技术、量测仪器和不同方法的适用性等方面作出评价。

虽然许多组织(如联合国科教文组织,世界气象组织等),作了很大努力,但这些网络在多数国家尚未完全形成,尤其在发展中国家内更是如此。要发展网络应在建立和维护观测站方面作出努力。为了尽可能经济地设计网络,应鼓励采用现代化的数学最佳参数选定法。但决不能忽略自然结构,也就是说,应把地区的水文地质分区和控制水文地质分区的不同因素(如:气候、地貌、地质构造、岩石岩性结构、地下水的深度、土壤的利用和人类的作用等)考虑在内。

(三)关于参数测定方法

几年前,只不过定数论引起了注意,这是可以理解的。因为定数论易于洞悉基本的物理作用和化学作用的起因,但逐步地了解到要描述系统的每一细节是不可能的,因为有些作用依然是未知数。并且资料的可用价值也是个有限因素。因此,还必须应用随机技术,因为随机技术能搞清楚测量结果和计算的可靠程度。此外,地下水系统的不同参数在各个时期是在变化的,尤其是在人类的作用影响下更是如此。目前,竭力推荐综合利用定数论和随机法。每一个测量或计算结果均得有它本身的统计特征(如:平均值和它的标准差等)。显然,测量数据愈多,计算结果愈正确。

为了取得好的经济效益,针对调查的目的、范围和研究工作的性质,确定测定不同参数的精确度。区域调查时,就应该收集到主要的水文气象和含水层的主要特征的资料。这些资料可通过区域调查应用遥感技术和各种各样的地球物理方法进行收集。对于这些资料不必要求过高的精确度,但至少应该知道量值的数量级。对于局部调查,则根据使用的方法和疑难问题的性质,需要有更确切和更详细的资料。对于科学研究,常局限于个别试验场(或试验区),目的是改进对地下水系统基本物理过程或化学过程的了解。这类研究工作的特点是,其目的不仅仅是对进行测定工作的地点提供信息,而是希望其研究结果广泛直接应用于地下水管理,或者通过其应用来证实地下水系统的一般模型。所以,建议采用最先进和最精确的测量仪器,以便用以研究水文作用的规律和参数。在这些实验范围内,也应研究最佳取样问题。

(四)研究方法的综合手段

为了获得有效的结果,就得综合使用各种方法。如勘探工作与抽水试验、遥感、地球物理技术的综合使用,实验室参数的测定和水运动机理研究,同位素测定年代,水压计算等。采用综合方法室内试验和野外调查相结合的方法最能解决问题。例如,在发达国家和发展中国家里,均通过上述综合方法,来解决水资源评价、开发利用、土壤改良、开采规模以及沿海地区陆地的沉降和盐水入侵等问题。

对地下水系统的调查研究,还应包括社会环境因素。环境变化可以影响地下水资源的水质和水量,凡是为了制定长期开发计划而进行的研究工作,都必须考虑未来的变化趋势。点源污染问题,目前在许多国家,通过各种全国性地下水保护系统而予以解决,但分散性的污染则很少控制好。具有很厚的非饱和层系统,可能存在一个不可逆的,但现在还没有在饱和系统中显露的"潜在"污染问题,这可以通过专门性非饱和层的监测工作来进行评价。土地利用的变化、地表排水的变化以及采矿工作都可以减少对地下水的补给量。地下水开发时,环境的影响日益成为许多地下水研究工作的一个重要方面,这项工作美国走在最前面,在那里地下水开发计划已列入需要提交环境影响报告书的立法范围。地下水开发的环境影响一般认为包括以下几方面:

(1)民用钻孔和水井(一般是浅的)水位下降。

(2)由于地下水流向的改变,或由于补给了不同水质的水,使民用水源的水质发生变化。

(3)由于河流流量减少而损害供水、渔业及旅游业。

(4)影响泉流量以及湖泊、池塘的水位。

(5)影响湿地的天然保护价值。

(6)影响土壤含水量以及和土壤含水量有关的天然植被与农作物。

(7)在进行地下水排水而增大流量的地方,这些排水影响到排入河流的生态与渔业。

(8)由于非固结地层的释水而造成地面沉降。

为发展资料数据处理的现代化技术,需要研究和研制不同类型的量测仪器。首先,应降低仪器成本,而且在不同情况下都能适用(尤其在发展中国家里)。其次,要使仪器在不同的水文地质环境(裂隙岩、岩溶、多孔介质)中都能应用,并且能以必要的精确度测量各种变量和参数。

为了对地下水系统作出全面的描述,必须同等看待水质和水量,最好利用共同的取样点。荷兰等国已采用轻型的口径小到50mm的取样泵,用来采取不同层位、不同深度的水样。在逐个不同深度的两个密封器之间进行抽水,可以从可靠的深度上确定水力传导率和地下水水质。可以利用套装开口测压计在所研究的深度上建立地下水水化学和水位长期观测点,这就保证了在共同的观测点上进行水质和水量的观测。

地下水系统研究中有两个基本的水动力学参数:导水系数和储水系数。取得这两个参数最常用的方法就是有目的地按计划进行抽水试验。国外一些水文地质专家则认为抽水试验常常是在不计成本的地方应用的。不过抽水试验虽然花钱,但取得的资料不只是水力传导率,其中有些资料是其他方法无法取得的。他们建议对于许多实际应用来说(例如水工学方面的应用、污染研究和区域渗流分析),可以依靠单井短期注水或抽水试验。有关这方面的一个进展是利用可编程序计算器或微型计算机来进行数据处理和抽水试验数据的初步分析,同时用多路测井仪处理从许多试验钻孔输入的数据。这既可减少人力,又能较快地对数据作出解释,以便按照取得的结果修改抽水计划。许多水文地质学家通常把钻探定为最费钱的单项内容,在信息需要进行合理的综合考虑的、任何减少钻探费用的措施,都值得重视。例如,在能采用物理方法来代替钻探方法的地方,就应尽量采用比较经济的物探方法。

四、几点体会

(1)当前国际上都很重视地下水系统的研究,主要解决区域地下水资源评价及最优开发利用和科学管理问题。在目前大量开采利用地下水情况下,不首先解决区域性问题,就不能妥善解决局部地区的问题。因此,地下水系统强调,既要全面搞清每一个单元每一个含水层的水文地质条件,还要搞清各单元之间、各含水层之间的相互联系。随着电算技术的发展,在分析研究地下水系统的基础上,进行区域地下水资源评价,就必须通过各种手段,掌握大量必要而准确的数据和参数,才能满足电算的需要。所以基础性研究仍然十分重要,而且应首先予以加强。今后应特别注意测定水文地质参数并研究其时空变化,尤其应该详细研究在人类强烈活动的影响下所产生的变化。

(2)到目前为止,在水文地质科学领域内,虽然其分支如水文地球动力学、水文地热学和水文地球化学,都已有各自的理论基础和较成熟的工作方法,但尚未达到综合使用的程度。因而只有采用新观点和新方法,即应用"地下水系统"的理论,分析研究地下水系统的结构和循环过程中的内生与外生因素的关系,才有可能在地下水资源评价等方面获得新的成果。因此,地下水系统的研究,不仅在理论上具有重要意义,而且在工作方法上,将导致新的重大改革。显而易见,在实际应用上,这对复杂条件下开展地下水的动态预测和进行资源评价,都会提高到一个新的水平。这对水文地质科学的发展,将会发生十分深远的影响。我们无疑也应大力重视和加强开展这方面的研究。

(3)随着需水量的不断增加和水质污染、水质恶化等现象的加剧,水资源问题已经成为当前一个非常复杂、严重影响人民生活与工农业生产的重大问题。为了更好地解决这一问题,必须采用多学科协作和综合方法,对这一地区的水文系统和地下水系统进行全面研究,在综合考虑地表水和地下水资源,包括水质、水量和各方面利益的基础上建立最优管理模型,并通过有关的措施,使上述问题得到令人满意的解决。为此,必须注意水量模型和水质模型之间的联系(包括地表水和地下水),尤其对于地下水水质模型必须给予特别注意。这方面,正是我们以往不够重视的。

(4)为了取得准确而有代表性的第一手资料,不少国家都十分重视量测仪器装备的改革与创新,其标志是系列化、轻便化、自动化及高精度。如荷兰浅层观测(或取水样)孔钻进工具的轻便化和系列化代替了浅孔用大型钻探设备施工,野外分层取样的小型气动潜水泵代替了以往钻进下管分层取水样的复杂程序,抽水试验数据处理系统和求参数的自动化装置,利用数理统计方法编制观测网的最优计划,观测点的多目标信息取得(水量、水质、水位等),在水资源规划和管理中电模拟和数学模型的普遍应用等方面,都是值得我们学习的。

(5)随着经济的发展,地下水资源的开发利用和保护管理工作,越来越显得重要。为此,必须早日建立全国和地区性的地下水监测网,逐步建立数据储存库和相应的储存系统,运用计算机进行资料分析,开展动态预测与水情预报,并研究水资源调节,大面积资源评价与远景预测等重大问题。大、中城市也要分阶段建立为环境水文地质服务的监测网。

(本文系与地矿部科技顾问委员会陈梦熊先生合著)

中国华北黄河冲积平原地下水系统（摘要）

一、前　言

华北黄河冲积平原西邻太行山，南接淮河冲积平原，东北临渤海。主要分布在河南、山东两省。地理坐标东经 113°～120°，北纬 33°～38°，面积约 12 万 km²。多年平均降水量自南向北由 900mm 递减为 600mm。黄河在本区为一"地上悬河"，终年补给两侧浅层地下水。

水文地质工作者在大量勘察、试验研究等综合工作基础上，对该区地下水的赋存条件、运动规律有了比较完整的认识。本文试图应用系统分析的方法，重点对第四系浅层地下水系统进行评价，同时论证人类活动对地下水系统的影响。

二、含水层系统分析

（一）第四系松散岩类孔隙水系统

1.浅层地下水系统

包括潜水及与其有密切水力联系的半承压水所组成的含水层系统。深度一般在 60m 之内，具明显的主流相—泛流相—边缘相沉积结构特征。水位降深 5m 时的单井涌水量在主流相 60t/h 左右，泛流相 40t/h 左右，边缘相 20t/h 左右，分布有淡水层和咸水层。地下水位埋深一般为 2～4m，不同类型洼地水位埋深小于 2m。地下水开采较强烈地区，水位埋深一般大于 4m，局部 6～15m。

2.中层地下水系统

深度一般在 150m 左右，含水层岩性主要为上更新统冲洪积相含砾中细砂、中细砂、细砂，富水性主要受古河道带的控制，与浅层水流向基本一致，开采条件下除有侧向径流补给外，还有垂向越流补给。大面积分布微咸水或半咸水。矿化度一般为 2～5g/L，沿海一带可达 5～10g/L 或大于 10g/L。气候是形成咸水的主要控制因素。

3.深层地下水系统

包括中、下更新统和新第三系上部含水层，埋藏深度 150～350m，350～450m 有 2～3 个含水层（组），厚度 30～50m，以细砂、中细砂为主，抽水单位涌水量一般在 4～10 t/（h·m），除滨海地区外，一般为矿化度 1g/L 左右的淡水层。承压水位埋深 2m 左右。一部分地区还分布有深层承压自流水。开采条件下，深层水补给来源有以下四个方面：①相邻含水层的垂直越流补给；②含水层的弹性释水；③侧向径流；④含水层周围的弱透水层释水。

(二)古生界裂隙水与岩溶水系统

1.上古生界裂隙水系统

裂隙含水层由海相和陆相地层组成,据勘探资料分析,其岩性特征变化很大。因此,水文地质条件差异很大,简要描述如下:

(1)二叠系石盒子统裂隙含水层。裂隙含水层赋存于厚层石盒子统砂质岩石的下部,补给条件较差,据少量勘探抽水资料,单井(孔)出水量 $0.7\sim7.2m^3/h$,单位出水量 $0.035\sim0.36m^3/(h\cdot m)$,渗透系数$(K_r)0.33\sim0.16m/d$,静水位埋深约4m,水化学类型为 $SO_4\cdot Cl—Na\cdot Ca$ 型,矿化度 $1.0\sim1.56g/L$。

(2)二叠系山西统裂隙含水层。裂隙含水层赋存在煤系地层砂岩中间,因为裂隙发育程度差,含水层薄,单井(孔)出水量 $0.5\sim4.0m^3/h$,渗透系数$(K_r)0.001\sim0.68m/d$,水化学类型为 $SO_4—Na\cdot Mg$ 和 $SO_4—Na$ 型水,矿化度为 $1\sim4g/L$。

(3)石炭系太原统裂隙岩溶含水层。裂隙岩溶水赋存于碳酸盐岩石的裂隙岩溶之中,含水层的含水性能取决于裂隙岩溶发育程度,单井(孔)出水量为 $0.36\sim43.2m^3/h$,渗透系数为 $0.005\sim5.78m/d$,水位埋深 $0.13\sim3.0m$,水化学类型主要为 HCO_3 型,其次为 $SO_4—Na$ 和 $SO_4—Na\cdot Mg$ 型,矿化度 $0.5\sim4.1g/L$,水温20℃。

2.下古生界裂隙岩溶水系统

研究区下古生界寒武系—中奥陶系为主要含水岩层,除本区西北部及山东中部一带裸露外,绝大部分被第四纪松散物所覆盖,呈隐伏状态类型存在。

(1)山前平原隐伏碳酸盐岩溶水。太行山山前冲积平原,地形平坦,覆盖层上部为亚黏土及黏土夹砾石,厚60余米。$60\sim200m$ 为新第三系黏土层,与华北平原大部分地区相似,新生界不整合于古生代碳酸岩类之上。但山前平原奥陶系灰岩埋藏深度要比平原中部浅得多,隐伏岩溶水有充足的补给来源。主要来自上游补给流域内的地下水,通过断层导水、储水,在断层两侧一般都可找到隐伏岩溶水。如河南省辉县东南的一些工厂成井深度 $99.10\sim443.26m$,抽水单位涌水量 $2.11\sim400.00m^3/(h\cdot m)$,富水性主要受岩溶溶洞发育程度控制。

(2)冲积平原隐伏灰岩岩溶水。冲积平原区隐伏灰岩起伏不一,厚度不等,裂隙岩溶发育程度不一,故富水性相差较大。如河南省永城县南部大王庄矿区石灰岩,顶板深度 $97.90\sim125.40m$,含水层厚度 $21.20\sim218.29m$,钻孔涌水量 $11.5\sim87.44m^3/h$,单位涌水量 $0.45\sim12.81m^3/(h\cdot m)$,渗透系数 $0.16\sim4.88m/d$,水位埋深 $2.39\sim3.06m$,属 $SO_4\cdot HCO_3—Na$ 及 $SO_4\cdot HCO_3—Na\cdot Ca$ 型水,矿化度 $1.40\sim1.78g/L$,水温 $18\sim19℃$。

(3)隐伏灰岩岩溶水的运动特征。以河南省辉县东南一带的资料说明之。该区隐伏岩溶水与上游百泉同属一个补给流域,百泉的补给面积为 $680km^2$,根据降水入渗补给法估算百泉上游年补给量为 2.13 亿 m^3,百泉年排泄量为 1.22 亿 m^3,因此由百泉泉域每年从山区碳酸盐类地层中,向山前的补给量为 0.91 亿 m^3,其中大部分通过山前断层与平原地区的深埋岩溶水沟通,成为该区隐伏岩溶水的主要补给来源。该区已施工隐伏岩溶水井53眼,平均开采量 0.28 亿 m^3/a,尚有 0.63 亿 m^3/a 的开采潜力。从隐伏岩溶水水位动态曲线也说明,由于开采抽水使水位下降,雨季水位回升得到补给。

奥陶系石灰岩水质分带性明显。近低山丘陵区,由于径流条件良好,故为低矿化度淡水。随着地下水运动距离的加长,至中部平原区,径流滞缓,矿化度增高。如山东省聊城地区东 4 孔邻近低山丘陵区,深度 86.5～218m 地段抽水,矿化度 0.4g/L,属 HCO_3—$Ca \cdot Mg$ 型水。至中部平原区,深部奥陶系含水层矿化度明显增高,山东省菏泽 JY9 孔成井深度 289.78m,石灰岩岩溶水矿化度 4.5g/L。山东省聊城县军王屯钻孔深度 824～921m,奥陶系灰岩抽水矿化度高达 5.11g/L,属 $Cl \cdot SO_4$—$Na \cdot Ca$ 型水。

(三)各含水系统的综合评价

浅层水由于埋藏浅,交替条件好、水资源丰富、水质淡、开采方便,投资小,故是工农业供水的主要水源。中层微承压水以 2～5g/L 的微咸水和半咸水为主,供水意义不大,但在古河道分布区,有一定开采前景。深层承压水以淡水为主,补给源远,开采后易形成水位降落漏斗,故而石灰系太原统灰岩裂隙岩溶水和下古生界奥陶系石灰岩岩溶水,在构造有利地段,储水及导水性能良好,可作为分散供水水源地。

三、松散岩类浅层地下水系统

(一)浅层地下水系统划分

根据地貌、水文地质结构、地下水运动特征、水化学特征及人为因素影响等,浅层地下水系统划分如下亚系统。

1.山前平原浅层地下水亚系统

纵向上自山前向平原,横向上由冲洪扇轴部向两侧,含水层埋深逐渐加大,厚度变薄,层次增多,颗粒变细。其富水程度也随之而变化,为小于 1g/L 的重碳酸盐型水。

水资源转化关系如下:

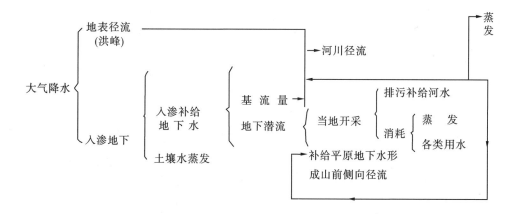

2.中部平原浅层地下水亚系统

该系统面积约占总面积的 3/4。

1)浅层含水层结构

(1)单层结构含水砂层分布区。分布在黄河北新乡、延津一带,从浅到深为粉砂、细砂、中粗砂单一结构,面积900km²。含水层厚度大,导水、富水性良好。

(2)"二元"结构含水层分布区。为黄河古河道主流相和泛流相分布区,一般占总面积的60%～70%,具上细下粗的"二元结构";上层为弱含水层,下层为含水砂层,含水层自西向东、东北、东南呈扇状分布。主流相含水层为粗中砂、中细砂、细砂,厚度一般10～35m,最厚达50余米。钻孔单位涌水量10～30t/(h·m),导水系数(T)近黄河地段大于1 000m²/d,其他地区500～1 000m²/d。泛流相含水层一般以细砂、粉细砂为主,厚度5～15m,钻孔单位涌水量一般5～10t/(h·m),导水系数(T)一般200m²/d左右。

(3)多层结构弱含水层分布区。分布于黄河冲积扇边缘相地带,为粉砂、亚砂土、亚黏土薄互层组成。导水、富水性差。钻孔单位涌水量一般小于5t/(h·m),导水系数(T)50m²/d左右。

(4)裂隙结构含水层分布区。分布在研究区东南边缘,面积约2 200km²。含水层导水富水性取决于黏土裂隙的发育程度、钙质结核层厚薄及松散程度。钻孔单位涌水量5～20t/(h·m),导水系数(T)100～700m²/d。

2)浅层地下水水动力系统

(1)补排类型。根据浅层水补给和消耗主导因素,概括出浅层水补排的主要类型:入渗—蒸发型,入渗—蒸发、开采型,径流—开采型,侧渗—蒸发型,引灌—蒸发、开采型。

(2)动态特征。中部平原浅层水系统可以看做为一个大型的"垂直调节型"的地下水库。在天然条件下,大气降水为主的入渗补给量主要耗于蒸发。随着人类活动因素水交替作用加强,不同时期的综合补给量和消耗量均衡,形成了地下水位动态变化:

当 $Q_补 > Q_消$ 时,同期水位相比上升;

当 $Q_补 < Q_消$ 时,同期水位相比下降;

当 $Q_补 \approx Q_消$ 时,同期水位相比相对稳定。

3.滨海平原浅层地下水亚系统

黄河的入海口地带,面积约9 200km²,海相地层发育,大部分地区浅层水矿化度3～30g/L,莱州湾沿岸地下水矿化度可达50g/L,并有丰富的卤水资源。

水资源转化关系如下:

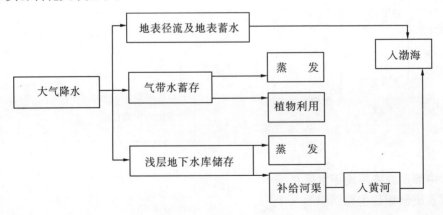

(二)浅层地下水系统的分类与分级

"系统"是指相互联系的研究对象和过程。浅层地下水并不是孤立的系统,而是和地表水及降水有密切联系的相对独立系统,从广义上讲,系统就是为达到一个共同目标而互相联系的一组要素。譬如,为了达到某个供水目的,把地下水和地表水结合在一起的供水就视为一个系统。因此,系统就是要研究的客观实体,模型就是对它的一种描述。"地下水系统"的基本概念就是在水文地质的基础上,把地下水作为一个有机的、包括静态与动态下的,能量不断新陈代谢的,在时间和空间上具有四维性质的统一体进行系统的分类与分级,同时进行定量分析与制图,作为评价开发和管理地下水的基础。

华北黄河冲积平原为一较完整的水文地质单元。自山前倾斜平原—冲积扇顶部—平原中下游,水文地质条件具有明显的分带性。由于浅层地下水赋存的地质条件和水文地质结构的不同,形成了导水、富水性和水质方面的差异。本区水交替的最大特点是以垂向运动为主。对一个含水系统来讲,有了良好的赋存地质条件,若没有充足的补给源,可以开采的水资源是有限的。相反,有的地区赋存条件不佳,而补给来源充足,可以人为改变地下水的径流条件,而获得较多的开采资源。所以作为地下水系统研究,应包括两个最基本的内容,即地下水系统的环境及其运动要素的概念。环境就是地下水赋存的地质条件和水文地质结构,要素就是地下水运动的类型及参数特征。

研究区浅层地下水系统绝大部分地区属动态(流出量大于零)非稳定流状态(流出量为变量)。

1.分类原则

依据地质条件和水文地质结构,浅层地下水系统分为四类。在每一类中,又主要依据浅层水交替条件和水质分级,分为九级。

2.浅层地下水系统的分类与分级

浅层地下水系统的分类与分级如下:

浅层地下水系统分类与分级

分　类	分　级	
单层结构砂含水	淡　水	入渗—蒸发、开采型
二元结构上层弱含水、下层砂含水	淡　水	入渗—蒸发、开采型
	淡　水	径流—开采型
	淡　水	侧渗—蒸发型
	半咸、微咸	入渗—蒸发型
多层结构弱含水	淡　水	入渗—蒸发、开采型
	半咸、微咸	入渗—蒸发型
	咸　水	入渗—蒸发型
裂隙结构黏土不均匀含水	淡　水	入渗—蒸发、开采型

（二元结构组：加强水交替　多层结构组：加强水交替）

(三)水化学系统

1.区域水化学的水平分带性

该区地下水水化学的形成,受第四纪沉积环境、古地理及地质构造的控制和影响,不仅在水平方向上形成不同的水化学带,而且在垂直方向上也十分复杂。

(1)山前平原水化学作用带。地下水径流交替条件良好,为重碳酸盐型,垂直方向上属全淡水型。

(2)扇前交接洼地水化学作用带。地下水径流滞缓,矿化度一般 $2\sim5g/L$,局部大于 $10g/L$,水化学类型主要为 $SO_4 \cdot Cl—Na(Na \cdot Mg)$,$SO_4 \cdot HCO_3—Na \cdot Mg$,$SO_4—Na \cdot Mg$ 型,$SO_4 \cdot HCO_3 \cdot Cl—Na \cdot Mg(Na)$型。

(3)中部冲积平原河道带积极交替型水化学作用带。黄河冲积扇上游及古河道主流带,水化学类型以 $HCO_3—Na \cdot Mg$,$HCO_3—Na \cdot Ca$ 型为主,矿化度一般小于 $1g/L$。泛流带逐渐过渡为 $HCO_3 \cdot Cl$,$HCO_3 \cdot SO_4—Na \cdot Mg$ 及 $Na \cdot Ca$ 型水,矿化度一般为 $1\sim3g/L$。边缘带浅层咸水呈斑块状、条带状不连续较大面积分布,以 $HCO_3 \cdot SO_4—Na(Na \cdot Mg)$,$SO_4 \cdot Cl—Na(Na \cdot Mg)$ 型为主,矿化度一般 $2\sim5g/L$,局部 $5\sim17g/L$。垂直方向有淡—咸—淡型和咸—淡型。低洼易涝地和盐碱地分布的不少地区,浅层水氟含量较高,一般为 $1\sim3mg/L$,局部 $3\sim10mg/L$。

(4)滨海平原海相型水化学作用带。水化学类型为单一的 $Cl—Na$,$Cl—Na \cdot Mg$ 型,矿化度一般 $5\sim10g/L$ 或大于 $10g/L$,垂直方向属全咸型。

2.垂直方向水化学演变规律

研究区垂直方向上的地下水水质变化主要有以下几种类型:

(1)山前冲积—洪积倾斜平原全淡水型。

(2)中部冲积平原咸淡水重叠型。分两种类型:

a.淡—咸—淡型:主要分布在河南省东部、北部平原及山东省部分古河道发育地带,$20\sim50m$ 深度以下出现咸水,矿化度一般 $2\sim5g/L$。山东省境内可达 $5\sim10g/L$,最高达 $30g/L$,向下逐渐变为小于 $1g/L$ 的深层淡水。

b.咸淡型:主要分布在地势低洼的扇间洼地、河间洼地及泛流带的槽状洼地。矿化度一般 $2\sim5g/L$,咸水主要埋深 $20\sim60m$。随深度增加,矿化度逐渐变小,到深层为小于 $1g/L$ 的淡水。

(3)滨海平原全咸水型。主要分布在东北部沿海一带,勘探资料 $1\,000m$ 深度内无淡水。山东省北镇渤海化肥厂 HN108 孔 $115.50\sim167.50m$ 地段地下水矿化度高达 $19.32g/L$,属 $Cl—Na$ 型咸水。

山东省中部山前地带往西北至中部平原区,随着地下水运动距离加长,交替滞缓,深层水氟含量普遍增高。北部的高唐县,清平常邑、贾镇、禹镇以北一般大于 $2mg/L$,乐陵县 DN16 孔高达 $6mg/L$。山东省佳州一带由浅至深,地下水氟含量随之增高。如佳州 DN92 孔浅层水氟含量 $0.5mg/L$,中层水氟含量 $2mg/L$,深层水氟含量 $4.5mg/L$。

3.开采区水化学系统

由于开采利用地下水资源,加强了水交替作用。汛期前利用微咸水适量灌溉降低地下水位,腾空地下库容,汛期集中降水入渗补给地下水,这就是"抽咸补淡",可使水质淡化,淡水层增厚,达到改造咸水的目的。这种局部水化学系统主要分布在研究区中部平原地下水开采达到一定强度的地段。

四、地下水系统与人类活动的影响

由于人类活动的影响,将导致地下水水动力、水化学、水动态特征的变化。如地下水过量开采使地下水位下降形成区域水位下降漏斗;大量引地表水灌溉,排水不畅,导致较大范围内的内涝及土壤次生盐碱化;三废(废水、废气、废渣)的任意排放引起地下水质污染等。相反,科学合理开发利用地下水资源,增强水资源的交替循环与调蓄,调控合理地下水位,汛期前大量开采地下水,腾出地下库容,以利于汛期的降水入渗补给,增大系统的输入与输出,又能加快该区旱涝盐碱的综合治理,使局部浅层咸水得到利用与改造。所以,研究地下水系统一个很重要而必须重视的问题,就是要考虑人为因素的影响。

(一)浅层地下水的开采调控与旱涝盐碱的综合治理

历史上,研究区旱涝盐碱相随,还有较大面积的咸水。粮食产量长期低而不稳,成为最大的生态环境问题。

旱涝碱有其内在联系,是同时共存,互为因果,交错为害的。归根结底是水的问题。通过对潜水入渗补给与潜水蒸发形成机理的研究,说明降水入渗补给地下水系数与潜水蒸发强度,都是随水位深度的变化而变化。根据这一特征,就有可能确定这一地区地下水合理开采的最优水位,既能使降水补给得到增加,又能使潜水蒸发达到最低限度。还能扩大包气带的蓄水能力和有利于防治这一地区的旱涝盐碱灾害。这一科研成果在商丘地区推广后已取得良好的生态环境效益和经济效益。

(二)引黄灌溉与土壤盐碱化

研究区利用黄河水有关的改造盐碱土的模式主要有井渠结合为主的综合治理模式和引黄种稻改良模式。

(三)浅层水开发利用与咸水利用改造

(1)成因。滨海地区属海相成因;中部冲积平原区,属内陆掩埋古盐渍土成因,即原盐型高矿化水,它与古地形、古气候条件有关。

(2)利用与改造。水文地质工作者在商丘地区虞城县王庄,利用 $2\sim4g/L$ 的咸水灌溉小麦、玉米、棉花,均获得了较好收成。咸水开采利用,使咸水面积缩小,咸水界面下移,$2\sim3g/L$ 微咸水厚度增加。抽咸补淡,可望得到改造咸水、淡化水质之目的。

(四)局部地区地下水过量开采问题

研究区的局部地段相继形成了地下水位下降漏斗区。在查明成因基础上,有针对性地采取了以下补源措施,取得了较好效果。

(1)加强计划开采,如实行工农业分层开采地下水,深井轮休办法等。

(2)严格计量供水,实行收水费制,节约用水,改进工艺,一水多用。

(3)推广利用含水层蓄能新技术。

(4)井渠结合,采取多种途径增加对浅层水的补给。

五、结　论

地下水系统是指在时空分布上具有共同水文地质特征与演变规律的一个相对独立的单元。地下水系统不同于具有固定边界、完全受地质水文地质结构控制的含水层系统。当补给、径流、排泄条件发生变化时,地下水系统边界是可变的。一个含水层系统可包括若干个地下水系统。黄河冲积平原为一个完整的地质地貌—水文地质单元,水平方向上可划分为山前冲洪积平原—中部冲积平原—滨海平原三个既独立又互相联系的地下水系统。垂直方向可划分为浅层水系统、中层水系统、深层水系统。地下水系统只是自然界水循环中的一个子系统,它与大气系统、地表水系统、土壤系统、河流系统、社会系统有密切联系。随着人类活动的加强,地下水系统与其他各系统的联系更为密切,使地下水系统内部可以接受不同的物质、能量及信息,并将它们按照一定的方式及顺序进行转化和输出。所以,地下水系统的研究方法最大的特点,就是把研究问题的各个有关方面联系起来,并要考虑人为因素的影响,人们可以通过改变地下水系统的输入和输出,以求得对问题有效而合理的解决,使水资源的开发利用为人类服务。

地下水系统的研究目的,可以归结为:查明地质模型和水文地质结构→建立数学模型,进行地下水资源评价→制订合理开采优化方案,进行水资源动态趋势分析及预测,建立水资源的保护及管理模型。为此,又需进而研究水资源系统。

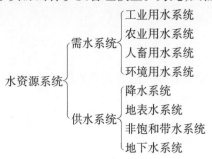

（本文系与地矿部高咨中心陈梦熊先生合著。纳入国际水文计划
(IHP)地下水流系统研究国际合作项目中全球六大实例研究之一,
由国际水文科学协会(IAHS)正式出版）

华北黄河冲积平原(河南地区)
浅层地下水系统

黄河冲积平原(河南地区)位于华北平原的中部(图1),面积约46 000 km²,耕地约306.7万 hm²。西邻太行山前冲洪积平原。研究区为地势平缓、微有起伏开阔的冲积平原,地表、地下径流滞缓,坡降1/2 000～1/6 000,海拔高程40～85m,微向东北、东南倾斜,具暖温带季风气候特征。年平均气温12～15℃,多年平均降水量自南向北由900mm递减为600mm,水面蒸发量则自南向北由1 100mm递增为1 700mm。区内降水时空分布不均,年内及年际间变率大。有"春旱秋涝,涝后又旱,旱涝交替"的特点。黄河自郑州以东变为地上河,河床高出平原3～8m,成为地表水和地下水的分水岭,终年补给两侧浅层地下水。全区有盐碱地面积33万多公顷,由于旱涝灾害并存,故农业生产低而不稳。

目前,水利等部门已施工浅井40多万眼,每年提取浅层水约51亿 m³。地下水资源的合理开发利用在旱涝碱综合治理和农业发展中起着重要作用。

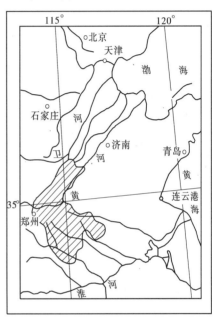

图1 研究区地理位置图

一、区域水文地质

研究区第四系总厚度约400m,含水层分为浅层水、中层水、深层水三个部分。深层承压水(早更新世、中更新世)侧向径流微弱,以上层越流补给为主,由于埋藏深度大,故大面积开采有困难。中层(晚更新世)微承压水以2～5g/L的半咸水为主。浅层(全新世)水由于埋深浅、交替条件好、水资源丰富、水质淡,是工农业供水的主要水源。

第四纪松散岩层的浅层地下水,一般指区域内第一个较为稳定的弱透水层(埋深一般小于60m)以上的潜水及其与密切水力联系的微承压水所组成的含水系统。由黄河冲积物所组成,具有明显的主流相—泛流相—边缘相沉积结构特征。河床相含水砂层在剖面上呈串珠式的透镜体状分布,在平面上则呈似脉叶状分布。浅层水与下伏中层微承压水有一定的水力联系,而与深层承压水之间无明显水力联系。

(一)浅层含水层结构类型划分

研究区60m深度内可分以下四种含水层结构区。

1.单层结构含水砂层分布区

黄河北新乡、延津一带,为历次黄河泛滥古河道重叠地区。从浅到深为粉砂、细砂、中粗砂单一结构,面积约900km²。含水层厚度大,颗粒粗,导水性、富水性良好。

2."二元"结构上层弱含水层、下层含水砂层分布区

该区为黄河古河道主流相和泛流相分布区,面积约38 000km²,占总面积的82%。具上细下粗的"二元结构":上层一般为亚砂土、亚黏土等弱含水层,下层为稳定的含水砂层。含水层自西向东、东北、东南呈扇状分布。主流相含水层为粗中砂、中细砂、细砂,厚度一般10~35m,最厚达50余米,顶板埋深5~22m。钻孔单位涌水量一般10~30t/(h·m),导水系数(T)近黄河可大于1 000m²/d,其他地区500~1 000m²/d。以HCO₃—Ca,HCO₃—Ca·Mg型,矿化度小于1g/L的淡水为主。泛流相含水层一般以细砂、粉细砂为主,厚度5~15m,钻孔单位涌水量一般5~10t/(h·m),导水系数(T)近主流相地带500m²/d左右,其他地区200m²/d左右。以HCO₃—Na·Mg,HCO₃—Na·Ca型淡水为主。出现斑块状、条带状不连续分布的微咸水(1~3g/L)、半咸水(3~5g/L),局部为矿化度大于5g/L的咸水,为HCO₃·Cl,HCO₃·SO₄—Na·Mg及Na·Ca型水。

3.多层结构亚砂土、亚黏土为主的弱含水层分布区

该区为黄河冲积扇边缘相地带,面积约4 800km²,无主要含水砂层,由粉砂、亚砂土、亚黏土薄互层组成。导水、富水性差,钻孔单位涌水量一般小于5t/(h·m),导水系数(T)为50m²/d左右。由于地下水径流条件差,加之掩埋古老盐渍土的影响,故研究区矿化度大于2g/L的咸水主要分布在该区。咸水面积约3 000km²,以HCO₃·SO₄—Na或Na·Mg、SO₄·Cl—Na或Na·Mg型水为主,矿化度一般2~5g/L,局部5~17g/L。在高矿化咸水与淡水接触带近淡水地区,还零星分布HCO₃—Na型水为主的高碱性水。

4.裂隙结构黏性土为主含水层分布区

该区分布在研究区东南边缘,属黄河与淮河冲积平原交接地带,面积约2 200km²。无主要含水砂层,含水层导水、富水性取决于黏土裂隙的发育程度、钙质结核层厚薄及松散程度的差异。钻孔单位涌水量5~20t/(h·m)不等,导水系数(T)100~700m²/d不等,一般为矿化度1g/L左右的淡水。

(二)浅层水补排类型、动态特征及渗透储水性

1.补排类型

根据浅层地下水补给的主导因素(降水入渗补给、黄河侧渗补给)、消耗主导因素(蒸发、开采)及地表水与地下水的转化关系,概括出浅层地下水补排类型及主要特征,见表1。

2.动态特征

地下水位动态变化是不同时期综合补给量和消耗量均衡后的客观反映:

当 $Q_补 > Q_消$ 时,同期水位相比上升;

当 $Q_补 < Q_消$ 时,同期水位相比下降;

当 $Q_补 \approx Q_消$ 时,同期水位相比相对稳定。

表1 浅层地下水补排类型及主要特征

类型名称	分布及特征	水循环特征	水的转化类型	水资源调节模式	动态曲线
入渗蒸发型	小面积分布水位埋深小于2m区,以降水入渗补给为主,其次为河渠水和灌溉水补给。开采水平低,主要通过蒸发排泄	垂直水交替较强烈	大气水⇆包气带水⇆地下水	垂向调节;季节和多年调节	图2
入渗蒸发开采型	分布广大冲积平原,水位埋深一般2~4m。以降水入渗补给为主,其次为河渠水和灌溉水补给。开采水平较高,并消耗于浅层水蒸发	垂直水交替强烈	大气水⇆包气带水⇆地下水	垂向调节;季节和多年调节	图3
径流开采型	分布于水位埋深大于5m的降落漏斗区,以周边侧向径流补给为主,其次为降水、河渠水和灌溉水补给。开采水平高,蒸发十分微弱	水平径流强烈	周边地下水→开采区地下水	水平调节为主	图4
侧渗蒸发型	分布黄河侧渗影响补给带内,地势低洼,水位埋深小于2m,终年接受侧渗补给,其次有降水和灌溉水补给。开采水平低,以蒸发消耗为主	水平径流和垂直交替较强烈	地表水→地下水	水平调节和垂向调节;季节和多年调节	图5 图6
引灌蒸发开采型	分布地表水发育区,水位埋深2m左右,引地表水灌溉回渗和河渠侧渗补给为主,其次为降水入渗补给。消耗于蒸发和地下水开采	垂直交替较强烈	地表水→地下水	垂向调节;季节和多年调节	图7 图8

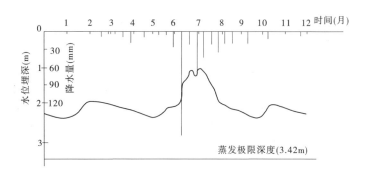

图2 睢县付庄1977年入渗—蒸发型浅层水位动态曲线

动态变化可分年内季节变化和年际动态变化,季节水位动态变化前已论述。年际间水位动态变化为:丰水年年均衡后水位上升;平水年水位相对稳定;干旱年水位下降。研究区800多个地下水位动态观测点资料说明:20世纪50年代至60年代初期,地下水开采水平低,降水补给主要消耗于蒸发,地下水位埋深一般为2m左右。从60年代中期开始大规模打井灌溉,已建井42万眼,平均年开采浅层水资源约51亿 m^3,部分地区开采模数高达20万 $m^3/(km^2 \cdot a)$ 左右,打破了天然水位动平衡,开采量大于补给量,产生了十余

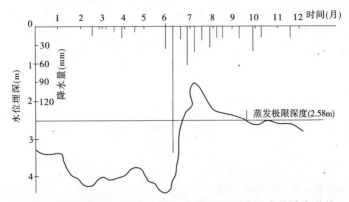

图 3　睢县楼河 1977 年入渗—蒸发开采型浅层水位动态曲线

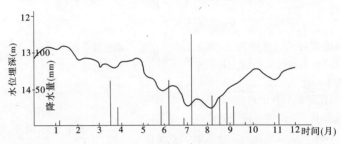

图 4　温县祥云镇 1975 年径流—开发型浅层水位动态曲线

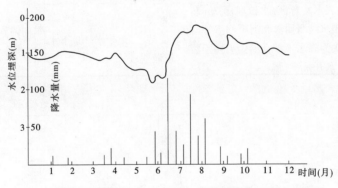

图 5　开封县西姜寨 1976 年侧渗—蒸发型浅层水位动态曲线

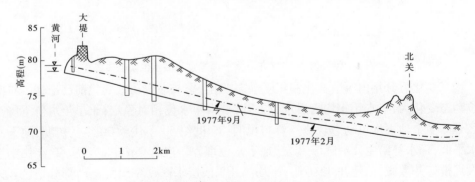

图 6　开封北郊黄河水与地下水关系图

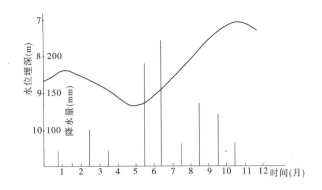

图 7　柘城县芦庄 1972 年引灌—蒸发开采型浅层水位动态曲线

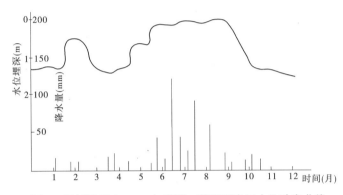

图 8　开封县王庄 1976 年引灌—蒸发型浅层水位动态曲线

个浅层水位下降漏斗区,约占总面积的4.9%。约有60%的面积水位处于动平衡,水位埋深小于2m区的面积减少11.82%。

3.渗透储水性

在天然条件下,大气降水等通过包气带补给浅层水,水位抬高水体积增大,由于蒸发消耗,水位下降水体积变小,达到天然状态下的水位动平衡。一定规模井群抽水时,"二元结构"含水层的上层弱含水层和下层含水砂层之间形成水位差,依据达西定律,上层弱含水层疏干释放的水,以一定的速度向下层含水砂层补给,然后折向水平运动,供井抽水(图9)。抽水初期,上层弱含水层疏干往往落后于下层含水层的水位下降,随着抽水时间的加长,上层疏干速度逐渐赶上下层含水层的水位下降速度(图10)。

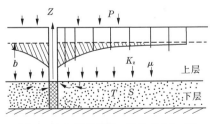

图 9　抽水条件下"二元结构"上、下
含水层地下水运动示意图

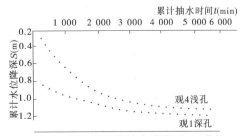

图 10　夏邑县周楼抽水试验 $S—t$ 曲线

就区域而言,上层弱含水层的水位下降,疏干释放的水量(下渗量)基本等于抽水量(图11)。

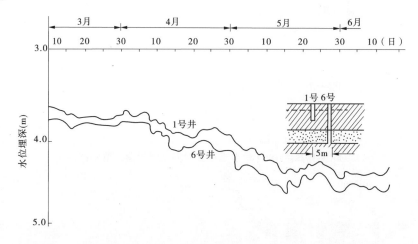

图11 1981年商丘县大吴庄观测孔组观1、观6井地下水位埋深变化曲线

由此可见,浅层水的储水和释水能力主要取决于地下水位变动带的岩性结构。而浅层水的补给条件又决定于包气带岩性结构(渗透性能)和水位深浅。除了东南及南部边缘地带属黏性土分布、渗透储水性较差外,其他均为砂性土为主分布、渗透储水性能较好和良好区。这与黄河泛滥改道冲积作用比较强烈有关。

二、浅层地下水系统分类

"系统"是指互相联系的研究对象和过程。系统就是要研究的客观实体,模型就是对它的一种描述。"地下水系统"的基本概念就是在水文地质的基础上,结合各种天然因素和人为因素,把地下水作为一个有机的、包括静态和动态下的,能量不断新陈代谢的,在时间和空间上具有四维性质的统一体进行系统的分类与分级,同时进行定量分析与制图,作为评价、开发和管理地下水的基础。

华北黄河冲积平原河南地区,地貌单元位于黄河冲积扇上,为一较完整的水文地质单元。自冲积扇顶部至中下游,水文地质条件产生有规律的变化,具有明显的分带性。研究区浅层地下水为一典型"垂直调节型"的天然地下水库。由于浅层地下水赋存的地质条件和水文地质结构的不同,而形成了导水、富水性和水质方面的差异性,并可表征地下水总资源和开采条件。在天然(相对静态环境)条件下,地下水开采利用十分微弱,大气降水为主的入渗补给主要消耗于蒸发。随着人类活动因素的加强,而破坏了地下水的平衡。除了降水入渗补给外,还产生了灌溉回渗,增大了河渠侧渗,激发了周边补给。除了蒸发消耗外,地下水开采量达到了一定规模。所以说,不论是静态还是动态状态下,天然条件还是人为条件下,本区水交替的最大特点是大面积以垂向运动为主。对一个含水系统来讲,有了良好的赋存地质条件,若没有充足的补给源,可以开采的水资源是有限的。相反,有的地区赋存地质条件不佳,而补给来源充足,可以改变地下水径流条件,而获取较多的开采资源。所以,作为地下水系统的研究,应包括两个最基本的内容:即地下水系统的环境及其运动要素的概念。环境就是地下水赋存的地质条件和水文地质结构,要素就是地下水运动的类型及参数特征。

基于上述认识,根据地下水赋存结构,流态、流量特点,研究区浅层地下水系统绝大部分地区属动态(流出量大于零),非稳定流状态(流出量为变量)。分类与分级如下:

(1)分类与分级原则。依据地质条件和水文地质结构,即浅层地下水系统的环境,分为四类。在每一类中,又主要依据浅层水交替条件和水质分级,分为八级。

(2)浅层地下水系统分类与分级,见表2。

表2　　　　　　　　　　浅层地下水系统分类与分级

分　　　类	分　　　级	
单层结构砂含水	淡水,入渗—蒸发、开采型	
二元结构上层弱含水 下层砂含水	淡水,入渗—蒸发、开采型	加强水交替
	淡水,径流—开采型	
	淡水,侧渗—蒸发型	
	微咸,半咸水,入渗—蒸发型	
多层结构弱含水	淡水,入渗—蒸发,开采型	加强水交替
	微咸,半咸水,入渗—蒸发型	
裂隙结构黏土含水不均	淡水,入渗—蒸发,开采型	

三、浅层地下水系统的定量描述

(一)数学模型

研究区大部分地区地下水动态类型属"入渗—蒸发、开采型"。根据水均衡,可列出下列数学模型:

$$含水层水体积变化量＝综合补给量－综合消耗量$$

即:$\mu \dfrac{\partial S}{\partial t} = (P \cdot \overline{\alpha} + Q_{灌} \cdot \overline{\beta} + w) - (\varepsilon + Q_{抽})$ （1）

式中:μ——疏干给水度;

$\dfrac{\partial S}{\partial t}$——单位时间内地下水位变化高度,m/d;

P——降水(或有效降水)强度,m/d;

$\overline{\alpha}$——降水入渗补给地下水系数;

$Q_{灌}$——水井灌溉强度,m/d;

$\overline{\beta}$——灌溉回渗补给地下水系数;

w——河渠补给地下水强度,m/d;

ε——浅层地下水蒸发强度,m/d;

$Q_{抽}$——浅层地下水开采强度,m/d。

式(1)是进行浅层地下水资源评价总的模型。为了求得上述参数,还要根据不同情况建立一些具体的模型。例如,为了求"α",要建立考虑前期降水影响在内的降水量和地下水位上升相关的统计模型;为了通过非稳定流抽水试验求 μ、T、K,要根据不同水文地质条件,分别用布尔顿(Boulton)、纽曼(Neuman)模型等。

(二)参数研究

1.参数内容

水文参数:降水入渗补给地下水系数($\overline{\alpha}$)、浅层地下水蒸发强度(ε)、灌溉回渗补给地下水系数($\overline{\beta}$)、河渠补给地下水强度(w)。

水文地质参数:疏干给水度(μ)、含水砂层弹性释水系数(S)、导水系数(T)水平及垂直渗透系数(K_r 及 K_z)。

2.参数研究方法

1)降水入渗补给地下水系数($\overline{\alpha}$)

即降水入渗补给地下水量与降水量之比。视计算时段不同,可分为($\overline{\alpha}_{次}$)、($\overline{\alpha}_{汛}$)、($\overline{\alpha}_{年}$)。其确定方法为:

(1)利用时段水量均衡方程反求汛期区域平均降水入渗补给地下水系数($\overline{\alpha}_{汛}$)。

$$\overline{\alpha}_{汛} = \frac{Q_{蒸} + Q_{抽} + Q_{储}}{时段(汛期)降水量} \tag{2}$$

(2)降水—地下水位上升值相关法。分别计算、绘制不同包气带岩性、不同水位埋深的 $P + P_a$—Δh 相关图,只要知道年降水量,就可在相关图上查出相应年降水量的地下水位上升值$\sum \Delta h$(m)。$\sum \Delta h \cdot \mu$ 即为年降水入渗补给地下水的量。

2)蒸发强度(ε)

其确定方法为:

(1)经验公式法。水分在非饱和带的蒸发规律是很复杂的。地下水蒸发强度可近似用下列经验公式计算:

$$\varepsilon = \varepsilon_0 \left(1 - \frac{h}{L}\right)^n \tag{3}$$

式中:ε——浅层水蒸发强度,m/d;

ε_0——水面蒸发强度,m/d;

h——浅层水位埋深,m;

L——蒸发极限水位埋深,m;

n——与土质等有关的指数,一般取1~3。研究区水位埋深一般为2~4m,包气带岩性以亚砂土为主,$n = 1$时计算出 μ、L、ε 值比较合理。

(2)建立地下均衡实验室,定量观测不同水位埋深、不同包气带岩性、不同气候条件下的蒸发量。

(3)野外天然结构条件下的实测蒸发量。①在无外界影响的地段布置专门水位观测孔 $\varepsilon = \mu \cdot \Delta h$;②布置对称网格观测孔组、自记水位资料、采用差分公式计算 ε 和 $\overline{\alpha}$。

$$\varepsilon = \mu \frac{\Delta h}{\Delta t} - \frac{T}{L^2}(\overline{h}_2 + \overline{h}_3 + \overline{h}_4 + \overline{h}_5 - 4\overline{h}_1) \qquad (4)$$

式中：T——导水系数，m^2/d；

$\overline{h}$——时段水位埋深平均值，m；

L——观测孔之间的距离，m。

3）灌溉回渗补给地下水系数（$\overline{\beta}$）

在野外布置不同水位埋深、不同包气带岩性、不同灌水定额条件下的实测灌溉回渗系数试验区3处，取得灌溉回渗系数（$\overline{\beta}$）。

4）河流侧渗补给量（W）

垂直主要河流（如黄河）布置地表水位和地下水位观测，采用稳定流和非稳定流公式计算河渠侧渗影响范围和侧渗补给量（W）。

5）疏干给水度（μ）

μ 值表示地下水位变幅带及其上覆岩性颗粒粗细和蓄水释水的能力。

(1)利用地下水动态和水面蒸发量资料，用 $\frac{\varepsilon}{\mu \varepsilon_0} = -\frac{h}{\mu \cdot L} + \frac{1}{\mu}$ 经验公式计算 μ。

(2)地下均衡实验室装土柱的试筒内分段注水释水试验求 μ。

(3)非稳定流抽水试验求 μ。在不同水文地质区进行了30多组非稳定流抽水试验，确定了研究区浅层水"二元结构"布尔顿模型和"多层结构"纽曼模型，计算 μ、S、T、a、K_r、K_z。

a.建立并求解"二元结构"含水层地下水运动的微分方程，得到和布尔顿考虑延迟给水的潜水模型方程式一样的解。上层为弹性释水可以忽略的垂直运动为主的潜水，下层为一水平运动为主的微承压水层（图12）。所不同的是相当于布尔顿的"延迟指数"$\frac{1}{a}$ 中的 a（无

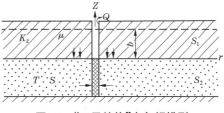

图12 "二元结构"布尔顿模型

明确物理意义），这里应是 $\frac{K_z}{\mu \cdot b}$。因而把布尔顿的解中的 a 换以 $\frac{K_z}{\mu \cdot b}$ 后，就是我们要求的解。可写成：

$$S_2 = \frac{Q}{4\pi T}W\left(\frac{1}{\mu_e}, \frac{1}{\mu_d}, \beta\right) \text{ 的形式}$$

其中：$\beta = \dfrac{r}{B} = \dfrac{r}{\sqrt{Tb/K_z}}$

$\mu_e = \dfrac{Sr^2}{4Tt}$；　$\mu_d = \dfrac{\mu r^2}{4Tt}$

令　$\eta = \dfrac{\mu + S}{S} = \dfrac{\mu}{S} + 1 = \dfrac{\mu_d}{\mu_e} + 1$

$\therefore \qquad\qquad S_2 = \dfrac{Q}{4\pi T}W\left(\dfrac{1}{u_d}, \beta, \eta\right) \qquad (5)$

b."多层结构"纽曼模型。我们采用垂直渗透性和水平渗透性不同的潜水模型，即含

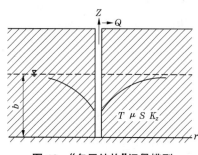

图13 "多层结构"纽曼模型

水层各向异性的纽曼模型(图13)。

问题的解答为:

$$S = \frac{Q}{4\pi T} S_d(t_s, t_y, \beta) \tag{6}$$

或$\left(\text{当} \dfrac{\mu}{S} \text{很大时}\right)$

$$S = \frac{Q}{4\pi T} S_d(t_s, \beta) \text{(前期)} \tag{7}$$

$$S = \frac{Q}{4\pi T} S_d(t_y, \beta) \text{(后期)} \tag{8}$$

式中:$t_s = \dfrac{Tt}{Sr^2}$; $t_y = \dfrac{Tt}{\mu r^2}$; $\beta = \dfrac{K_z}{K_r}\left(\dfrac{r}{b}\right)^2$

我们研究并建立了下层含水层在考虑上层具有储水和释水作用情况下的水位降深方程式。主要参数值见表3。

表3 研究区主要参数

内容	不同条件下的参数值				
	水位埋深	细砂	亚砂土	亚砂土与亚黏土互层	亚黏土
α	2~4m	0.44	0.29	0.27	0.23
	4~6m	0.36	0.19	0.17	0.15
μ		0.1~0.15	0.05~0.07	0.036~0.045	0.029~0.04
T	粗中砂 厚30~50m	细中砂 厚20~30m	细砂 厚10~20m	黏土裂隙含水层	亚砂土、亚黏土 互层
	1 000~1 200m²/d	500~1 000m²/d	100~500m²/d	100~500m²/d	<100m²/d
$\overline{\beta}$	包气带亚砂土,水位埋深2~4m,灌水定额:600m³/hm²,$\overline{\beta}$约10%;900m³/hm²,$\overline{\beta}=15\%$				
	包气带亚黏土,水位埋深2~4m,灌水定额:600m³/hm²,$\overline{\beta}$约5%;900m³/hm²,$\overline{\beta}=10\%$				
L	亚砂土,亚黏土3~4m				

(三)水资源供需平衡及水位预测

所谓地下水资源评价就是在一定的水质要求的前提下,对水量评价和水位预测。我们用区域均衡模型来研究浅层水资源,进行了典型气象年份和多年内浅层水的综合补给量、消耗量、储存量的计算,并结合以农田灌溉需水为主,进行评价,预测水位变化。

1.水资源评价原则

1)均衡区的划分

根据地形、地貌、水文地质条件、形成类型和动态特征划分均衡区。以均衡区为单位或以水位动态观测点为节点,进行剖分计算。

2)合理地下水位的确定

研究区可以开采利用的浅层水资源($Q_\text{开}$)主要取决于垂向补给量(W)和浅层水蒸发量(E),可用关系式 $Q_\text{开} = W - E$ 表示。从式中看出:增加地下水可采资源,一是要使降水(或河渠水)更多地入渗转化为地下水;二是使地下水尽可能多地减少蒸发消耗。所以,研究确定"合理地下水位埋深"就显得十分重要。"合理地下水位"确定原则应从以下几方面考虑:

(1)要考虑年际间浅层水的正均衡量最大。浅层水正均衡模数 = 补给模数 - 蒸发模数。即不明显减少降水入渗补给量。

(2)尽量减少蒸发量。

(3)考虑当前几十万套 75~100mm 离心泵的允许吸程,有利于防治涝碱灾害。

有了合理的地下水位,就有一定的土壤"库容",包气带的蓄水能力增大,有利于储存降水为主的垂向入渗补给,有利于改良和防治土壤盐碱化,有利于分洪减轻涝灾。商丘大吴庄 20 世纪 60 年代初期,地下水位埋深只 1m 左右,320hm^2 耕地中有盐碱地 20 多公顷,常年受涝面积 60 多公顷。粮食产量只有 16.5 万 kg。十多年来,采取井灌井排、挖沟排水和科学种田相结合的综合治理措施,全部用地下水灌溉,使地下水位一直调控在汛前 5m 左右、汛后 3m 左右的合理状态(图 14),旱涝碱灾害基本克服,60cm 深度内土壤全盐量一般均小于 0.10g/100g 土。昔日盐碱荒地上建成旱涝保收农田 200 多公顷,全年粮食产量可达 115 万 kg 以上。1979 年商丘降水量达 1 130.9mm,仅 7~9 月降水量高达788.3mm,商丘地区有 13 万 hm^2 农田受涝灾,而大吴庄汛期水位埋深仍大于 2.50m。充分显示了土壤"库容"和地下水"库容",具有良好的调节作用。从以上分析论证,认为研究区浅层水最优水位埋深以汛前 5m 左右、汛后 3m 左右为宜。

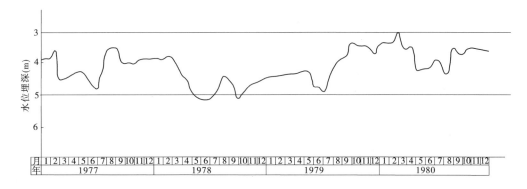

图 14 商丘县大吴庄观 20 井 1977~1980 年地下水位埋深动态曲线图

3)水质分级

水文地质工作者在虞城县进行的咸水灌溉和抽咸补淡试验资料说明,2~3g/L 和3~5g/L 的微咸水和半咸水,只要灌溉适时、方法得当,可获得不同程度的增产效果。长期抽排地下水,增强水交替作用,可使咸水逐步淡化,作为可以开采利用的地下水资源。研究区大于 5g/L 的咸水面积分布很小,不单独计算,合并在微咸水和半咸水之中。

4)确定合理的允许水位降

根据农灌开采地下水具有分散性、季节性的特点,浅层水又属于周期性汛期降水集中补给,且浅层水有较大的储藏量,故干旱期可以进行疏干开采,但允许水位降应符合下列原则:

(1)抽水量应满足干旱期的连续开采,且抽水井中动水位不应超过设计要求。

(2)在补给期(年或多年为周期)可使被疏干的那部分水量得到补给。

2.浅层水补给量

1)计算公式

(1)大气降水入渗补给量。按下式计算:

$$Q_{降补} = \sum_{i=1}^{n} \Delta h_i \cdot \mu_i \cdot F_i \tag{9}$$

$$Q_{降补} = \sum P_{年} \cdot \beta_※ \cdot \overline{\alpha}_{汛} \tag{10}$$

$$Q_{降补} = \sum P_{年} \cdot \alpha_{年} \tag{11}$$

式中:$Q_{降补}$——降水入渗补给量,m^3;

$\sum P_{年}$——年降水总量,m;

$\overline{\alpha}_{年}$、$\alpha_{汛}$——年平均和汛期降水入渗补给地下水系数;

$\sum \Delta h_i$——年累计水位上升值,m;

$\beta_※$——有效降水量占年降水量的比例,%;

μ——给水度;

F_i——计算区面积,m^2。

(2)地下径流量和黄河侧渗量,按下式计算:

$$Q_{径} = H \cdot B \cdot I \cdot K_{cp} \tag{12}$$

式中:$Q_{径}$——地下径流补给(排泄)量;

K_{cp}——含水层平均渗透系数,m/d;

H——含水层平均厚度,m;

B——计算断面宽度,m;

I——地下水水力坡度。

(3)灌溉回渗量。按下式计算:

$$Q_{回} = Q_{灌} \cdot \overline{\beta} \tag{13}$$

式中:$Q_{回}$——灌溉回渗补给地下水量,m^3 或万 m^3;

$Q_{灌}$——灌溉量,m^3 或万 m^3;

$\overline{\beta}$——灌溉水平均回渗系数。

2)计算结果

浅层水补给量计算结果见表4。

补给资源73.97亿 m^3/a 中,微咸水和半咸水资源量为5.51亿 m^3/a。全区平均补给资源模数16万 $m^3/(km^2 \cdot a)$。

表4			浅层水补给量		(单位:亿 m³/a)
计算项目	降水入渗量	地下径流量	灌溉回渗量	黄河侧渗量	合　计
补给量	59.90	2.34	8.13	3.60	73.97

3.浅层水消耗量

目前研究区地下水位埋深2~4m,浅层水蒸发量较大。多年观测资料表明,目前地下水位处于动平衡,即综合补给量=综合消耗量。每年农业用水开采量约40亿 m³。今后农业用水量将达115.50亿 m³。各项消耗量见表5。

表5		浅层水消耗量	(单位:亿 m³/a)
项目	目前水位条件下	今后最优水位条件下	说　明
农业用水量	41.20	115.50	农灌定额及总需水量:丰水年2 250m³/hm²,69.3亿 m³/a;平水年3 750m³/hm²,115.5亿 m³/a;干旱年5 250 m³/hm²,161.7亿 m³/a
工业用水量	6.84	6.84	
饮用水量	2.91	2.91	
地下径流流出量	0.025	0.025	
蒸发量	23	0	
合　计	73.97	125.28	

4.水资源供需平衡及水位预测

1)水资源供需平衡

将研究区浅层水看做"垂直调节型地下水库",进行典型年或多年补给和消耗的水均衡计算(多年调节尤为重要)是合理的。论证年和多年既能取出来,又有补给保证的浅层水最大可采量(或合理开采资源),对农业水利灌溉的保证程度以及预测地下水位的多年动态变化。这种方法综合反映了水文地质条件、补给条件、交替条件、自然气象演变规律等诸方面的因素及其内在联系,体现了丰、旱年份交替,以丰补旱的自然规律。

(1)目前水位条件下。综合补给量减去蒸发量、工业用水量、饮用水量和地下径流流出量外,尚余41.20亿 m³/a可用于农灌,多年平均按3 750m³/hm² 计,可满足110万 hm²农灌需水要求,可维持目前地下水位的动平衡,60%的面积水位埋深2~4m 和小于2m。这样,全区30多万公顷盐碱地和几十万公顷低洼易涝地较难得到根治。

(2)合理水位条件下。综合补给量减去工业用水量、饮用水量和地下径流流出量外,尚余64.22亿 m³/a可用于农灌,多年平均按3 750m³/hm² 计,可满足171万 hm²农灌需水要求。

2）水位预测

（1）多年均衡法。将起调水位埋深定为3m,此时蒸发量将十分微弱,借助于多年降水量资料进行年和多年地下水库的补给和消耗的均衡计算,即可绘制各均衡区在不同农业需水要求下的多年调节库容和地下水位变化过程线(见图15)。

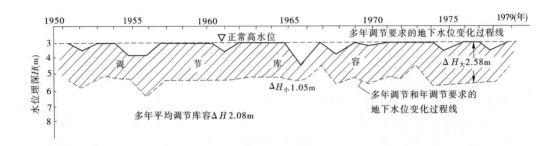

图15　农灌水利化程度65％情况下浅层水多年调节库容图

根据目前的成井工艺,研究区浅层水单位涌水量一般10t/(h·m)左右,按75～100mm离心泵抽水(吸程8m),一般水位降深2～4m。由计算资料可看出,黄河以北当水利化程度50％时补给与消耗均衡后,汛前静水位埋深一般5～6m,多年平均5.71m,汛后多年平均水位埋深3.10m,灌溉保证率83.33％;黄河以南水利化程度60％时,汛前静水位埋深一般5～6m,多年平均5.33m,汛后绝大多数年份均可回升到3m,多年平均3.03m。故认为黄河北浅层水资源可满足农灌需水的50％,黄河南为60％,此时,汛前汛后地下水位埋深与目前大量使用的几十万套抽水设备是相适应而合理的,并可加快起到综合防治旱涝盐碱的综合效益。

（2）多年均衡法和有限单元法结合使用电算法。多年均衡法主要考虑垂直交替,而不考虑水平方向上各点之间的水力联系,所以在局部开采强烈地区计算的水位就会失真。为此,我们又把多年均衡法和有限单元法结合使用,得到各节点年际间水位埋深变化过程和不同埋深区的分布面积,取得较好的效果。

有限单元法的数学模型为:

$$T\frac{\partial^2 h}{\partial x^2} + T\frac{\partial^2 h}{\partial y^2} + q_1 - q_2 = \mu\frac{\partial h}{\partial t} \tag{14}$$

式中:q_1——降水入渗为主的综合补给量,$m^3/(d·m^2)$;

　　q_2——开采量,$m^3/(d·m^2)$;

　　其他符号含义同前。

多年均衡法的数学模型为:

$$C/\mu + \Delta_0 = \overline{\Delta}_0 \tag{15}$$

式中:C——当补给量大于消耗量时代表消耗量,否则代表补给量,m/a;

　　C/μ——年均衡下的地下水位变幅,m;

　　Δ_0——多年均衡条件下的地下水位埋深,m;

$\overline{\Delta}_0$——地下水位总埋深,m。

计算程序:如图 16 所示。

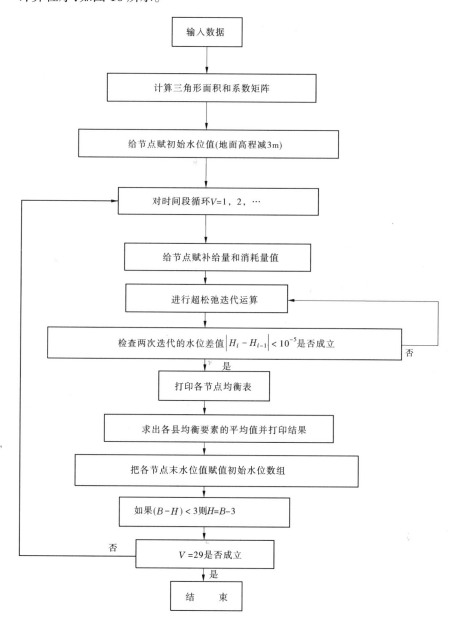

图 16 多年均衡法和有限单元法结合计算程序框图

计算结果:①计算水利化程度为 65%、70%、75%情况下各节点 29 年的地下水位变化过程,见图 17;②计算不同水利化程度下的不同水位埋深分区及面积,(略)。

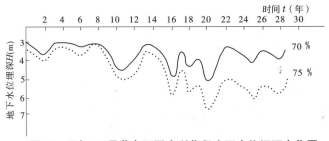

图17 民权25号节点不同水利化程度下水位埋深变化图

四、浅层水资源的合理开发利用

浅层地下水系统研究的最终目的是查清水文地质条件和水资源条件,在此基础上论证供水条件(天然地质体的水文地质条件和补给条件),并根据供水条件、地表水资源状况、旱涝盐碱程度等,进行水资源的合理开发利用分区,阐明开发利用浅层水资源对防治旱涝盐碱的作用。也就是说,水文地质工作的最终还是建立模型——合理开发利用方案的制订,进而建立管理模型。

研究区旱涝盐碱的产生、加重或减轻,均与水有关。水少则旱,水多则涝,水位过浅则易产生盐碱,水径流滞缓,咸水又不易改造。旱涝碱有其内在联系,同时并存,互相影响。旱(特别是春季)是农业发展的主要威胁。涝碱相随,盐碱又能促成作物生理上的干旱。归根到底主要是水的问题。因此,必须走旱涝碱综合治理的路子,从旱涝碱的总根源——"水"字着眼,充分利用本地区水资源,井灌为主,浅井为主,井渠结合,以调控合理地下水位为中心,建立浅井、深渠、坑塘、闸库工程体系,进行排、灌、引、蓄、补的综合调节。具体区划如下:

(1)井灌井排区。占研究区的大部分面积,补给充沛,渗透储水条件和导水性能良好,水质淡,水位埋深一般2~4m。从综合防治旱涝碱以及有利于生态平衡等原则出发,控制合理地下水位埋深,促使无效的潜水蒸发量转化为地下水可采资源,增大降水的地下调蓄量,是本区浅层水资源开发利用中一个很重要的问题。

(2)井渠结合区。井灌条件好,地表水资源较充足,水位埋深一般2m左右,实行井渠结合,既满足作物需水要求,又能调控地下水位及土壤水分,避免盐碱涝托,以渠补井之不及,以井消渠之不利。

(3)采补并重区。水位下降埋深较大的漏斗区或补给资源模数小于10万$m^3/(km^2 \cdot a)$,应加强人工补给,控制开采,采补结合,调控合理地下水位,改善开采条件和生态环境条件。

(4)抽咸补淡区。咸水分布区,应实行科学利用和改造咸水相结合。改咸的主要途径是加强地下水的交替作用,抽排咸水与天然降水入渗或人工引渗淡水补给相结合。

(5)引黄灌溉区。分布于黄河两侧低洼易涝盐碱区,应实行水利改良和农业改良相结合,主要措施为引黄河水种水稻夺高产。在黄河水黏粒含量高的时期引灌,产生一定厚度的黏性土层压盖盐碱土,避免盐碱上泛。引黄河水应做到有灌有排,可起到冲洗改良盐碱土的作用。

历史上,研究区的农业生产是比较落后的。如今,水资源条件得到较大的改善,旱涝碱灾害得到一定的治理,使农业稳步发展,粮食自给自余,已开始向国家做出贡献。

五、结　　论

(1)研究区降水入渗补给浅层地下水资源约60亿 m^3,占综合补给资源的81%。浅层水具有补给充沛,埋深浅,增补快,水质好,水位适宜、易开采的特点,是研究区最主要而可靠的水源。应积极开发利用,并注意水资源保护。浅层水资源可满足171万 hm^2 耕地的灌水需要。区域平均浅层水可采模数16万 $m^3/(km^2 \cdot a)$。

(2)浅层地下水大面积均为矿化度小于 $2g/L$ 的淡水,适宜灌溉。淡水可采资源54亿 m^3/a,占可采资源的91%。咸水可采资源5.5亿 m^3/a,为斑块状、条带状不连续分布,与掩埋陆相古盐渍土共生。今后随着开发利用地下水,水交替作用加强,咸水可望得到改造。

(3)重视从天上调水,就地调蓄、就地开采利用,加强井灌井排,实施井渠结合,调控合理地下水位,是综合防治研究区旱涝盐碱的关键措施。

(4)浅层地下水系统研究的全过程基本可归结为:查明地质模型和水文地质结构(地下水赋存的地质条件、"系统"的环境)→建立与地下水运动条件相适应的数学模型(水文地质条件、形成类型、参数研究和资源评价)→因地制宜制订水资源开发利用方案,建立管理模型。

在区域水文地质调查工作的基础上,浅层地下水系统的研究工作,已经陆续开展起来。如何加快研究浅层地下水系统,正确认识浅层地下水的赋存规律、形成过程和循环转化途径;掌握水量、水质、水位空间上的分布规律及时间上的变化趋势;用科学的方法加速浅层地下水的交替循环作用,控制水资源枯竭和水质恶化;更新调济水资源,兴利避害、造福人类,是今后广大水文地质工作者一项十分艰巨的任务。

本文编写得到地质部顾问陈梦熊高级工程师的指导和河南省地矿局水文地质管理处张建章、张圣园、赵乾炳、张振兴及绘图组同志的大力帮助,表示感谢。

(本文为1983年5月参加在荷兰举行的
"国际地下水系统研究方法讨论会"交流论文)

浅层地下水资源评价和合理开发利用

黄淮平原浅层水几个问题的初步探讨

我国黄淮冲积平原埋藏着丰富的浅层水,它具有埋藏浅、开采容易、增补快、水质淡、水温适宜的特点,是工农业的主要开采水源。历史上,黄淮平原旱涝碱频繁,一部分地区还有咸水,旱和涝、咸和淡、积盐和脱盐、地下水和地上水,它们之间相互对立又统一在一个"水"字上,在一定条件下,它们各自向着自己对立面转化。所以,研究浅层水的运动规律及合理开发利用有其现实的意义。本文仅就这两方面的部分有关问题谈一些粗浅看法。

一、浅层水具有潜水含水层组的水力特征

黄淮冲积平原三四十米(或五六十米)深度内,一般有以下几种含水层模型:

(1)上部为弱透水层(轻亚砂土、亚砂土、亚黏土或互层),下部为中、细砂为主的含水砂层,上细下粗,称"二元结构"型。

(2)无主要含砂段,由亚砂土、亚黏土、亚砂土与亚黏土互层,或夹轻亚砂土和粉砂薄层组成的"多层结构"型。

(3)无主要含砂段,黏性土为主,裂隙较发育,为"黏性土裂隙结构"型。

"二元结构"型的一些地区,在地面下10~15m(局部地区小于10m及大于15m)处有一层厚1~10m的淤泥质亚黏土层,其上为亚砂土、轻亚砂土含水层,其下为中、细、粉砂含水层。以往,一些地质报告及研究成果,曾以淤泥质亚黏土为界,把上层划为"潜水含水层",下层称"承压含水层",也有人提出"承压水"顶托补给"潜水",造成"潜水"位上升形成土壤次生盐碱化的看法。经有关资料分析,我们得出以下看法:

(1)在构造条件下不具备完整的承压区。大量勘探和机井地层资料证实,淤泥质亚黏土弱透水层不仅厚薄不一,而且不连续,上、下含水层之间没有连续隔水层。

(2)补给区、分布区、消耗区一致,两层水的水位动态基本一致,具有受气象因素影响的季节性变化特征。单受气象因素影响时,一般旱季深层水位较高,雨季浅层水位较高,其高差值的大小随干旱的历时长短及降雨量、降雨入渗强度的不同而变化(图1)。无淤泥质亚黏土隔水层(严格讲为弱透水层)时两者变化相一致。

(3)水温的变化过程基本一致,其季节性变化特征大体上是冬春两季浅层水稍低,深层水略高;夏秋两季深层水较低,浅层水较高(图2)。水化学类型也基本一致。

(4)两层水有其密切的水力联系,在人工开采"承压水"(深层水)时,"潜水"(浅层水)水位随着"承压水"水位的下降而降低(图3),"潜水"含水层疏干往往落后于"承压水"水位下降,随着抽水时间加长,上层疏干速度会逐渐赶上下层水位下降速度。

(5)不论是均质各向同性的"二元结构"含水层——布尔顿模型,还是均质各向异性的"多层结构"含水层——纽曼模型,非稳定流抽水资料说明,潜水位下降以后,含水层疏干是不能瞬时完成的,存在着迟后排水(或称滞后疏干)现象,这一点和承压含水层是有区别

的(图4)。

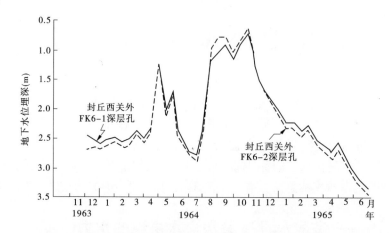

图1 受气象因素影响浅、深层水水位变化曲线

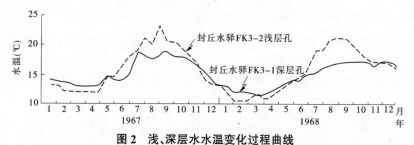

图2 浅、深层水水温变化过程曲线

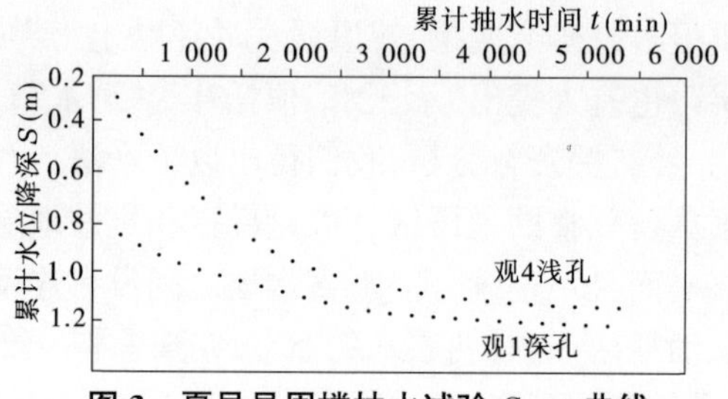

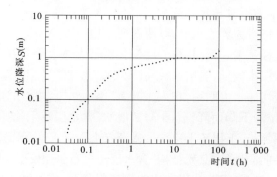

图3 夏邑县周楼抽水试验 S—t 曲线

图4 夏邑县周楼观3孔 S—t 曲线

以上说明两层水的联系是主要的、基本的。它们之间的微小差别是由于垂直和水平径流条件、渗透性能的不同而造成的。实质上两者属于同一含水体系，就统称为"潜水含水层"。所谓下层对上层水"顶托补给"的概念是不尽合理的。

二、垂直交替是浅层水运动的主要方式

黄淮冲积平原潜水运动具有以下特点：

(1)侧向径流微弱。水力坡度很小，一般只几千分之一，就一个区域或地区来讲，侧向径流量极其微弱。如我们对豫东平原商丘地区10 000km² 面积进行周边剖分计算，1977 年 1 月 1 日(高水位期)和1977 年 7 月 1 日(低水位期)区域流入量减去流出量只每日 1 万 m³ 左右。

(2)垂直交替强烈。该区包气带岩性较粗，以亚砂土、亚砂土和亚黏土互层为主。还有相当面积的裂隙亚黏土层。大面积地下水位较浅，埋深一般 2～4m，加之半干旱的气候特征，决定了潜水以垂直交替为主，基本可分为"入渗—蒸发、开采型"和"入渗—开采型"两种类型。降雨入渗为主要补给来源，其次为河渠入渗及灌溉回渗。据豫东、徐淮、淮北地区水文地质和水利部门计算，对潜水可以产生补给作用的汛期和春汛期的平均降雨量为年平均降水量的 70% 左右，降雨入渗系数 0.2～0.3。平均降雨补给模数 15 万 m³/(km²·a)左右。潜水消耗主要为蒸发和开采，局部排泄河道，当水位埋深超过"蒸发极限埋深"时，则以开采消耗为主。据有关部门统计，平均开采模数 5 万～7 万m³/(km²·a)，计算平均蒸发模数 7 万 m³/(km²·a)左右。

在侧向径流十分微弱的情况下，一定规模井群抽水时，浅层水又是如何运动的呢？通过商丘地区 10 组非稳定流抽水试验和典型均衡区资料分析，我们认为开采抽水时，"二元结构"含水层上层和下层之间形成水位差，依据达西定律，上部弱透水层疏干释放的水，以较快的速度和一定的量向下部砂层垂直补给，然后折向水平流动供抽水开采。所以可认为在无深部高水头承压水顶托补给时(该区深层承压水上覆厚度 100m 左右的亚黏土和黏土层，短时间内顶托补给的可能性很小)，上层水位下降疏干释放的水量(下渗量)基本等于抽水量，也即等于疏干漏斗体积(V)乘以疏干给水度(μ)，可写为 $W = Qt = \mu V$(商丘抽水资料上层疏干给水度 μ 比上层弹性释水系数 S_1 大 10 倍左右。因此，上层弹性释水量可忽略不计)。

商丘县大吴庄均衡观测区(局部下降漏斗区)，面积 3.58km²，1977 年全年累计开采量321 874m³，计算周边侧渗补给量89 726m³(非漏斗区侧渗补给量比此数要小得多)，尚有232 148m³(占总开采量的 72 %)为上层疏干越流量。

以上，充分说明整个黄淮平原(或其中的一个地区)可视为一个"垂直调节型地下水库"，潜水含水层的天然资源量或天然补给量基本上就是垂直入渗补给地下水的量，其中又以降雨入渗补给起主导作用。即

$$\alpha = \frac{\sum_{i=1}^{n} \mu \cdot \Delta H}{\sum_{i=1}^{n} P + P_a}, \qquad \sum_{i=1}^{n}(P + P_a) \cdot \alpha = \sum_{i=1}^{n} \mu \cdot \Delta H$$

式中：$P+P_a$——影响地下水位上升的本次降雨量(P)和前期影响雨量(P_a)；

α——降雨入渗系数；

μ——潜水水位变动带疏干给水度(饱和差)；

ΔH——潜水水位变幅。

由此可看出，以往那种用全年降水总量(P)乘以降雨入渗系数(α)作为全年降水补给地下水的量显然是偏大的。

今后，我们的研究重点应放在水在非饱和带的运动上，选择有代表性的地区尽快建立地下均衡试验场和地面均衡观测试验区。我们的工作目的是要取得不同条件下的降雨入渗规律(入渗系数 α 及入渗量)、灌溉回渗规律(回渗系数 β)、河渠侧渗及渗漏规律、不同条件下的蒸发规律(蒸发强度 ε、蒸发量 E、蒸发极限深度 Δ_0)。在潜水资源评价和调节中起主要作用的水文地质参数为给水度(μ)。这与以往用很大的气力放在推求导水系数(T)和渗透系数(K_r)上是有很大区别的。

三、岩层富水性的划分标准

传统观点一般认为：砂层厚、颗粒粗，则富水性好；反之，砂层薄或无砂层，则富水性差，以此划分为富水区、弱富水区、贫水区，并作为水文地质编图的主要依据。但实际上存在一些现象无法解释：

(1)河南商丘县大吴庄观测区有"二元结构"和"多层结构"两个区，对比两个区 1977 年内相同开采量的机井(机井密度近似)，1977 年 1 月 1 日至 1978 年 1 月 1 日地下水位变幅(ΔH)值基本一样，干旱季节开采后，"多层结构"区地下水位降比"二元结构"区大，但经汛期(7～9 月)的降雨集中补给后，"多层结构"区水位回升(ΔH_0)大于"二元结构"区，故全年地下水位变化不大(表1)。

表1　　　　　　　　　　**1997 年开采量及浅层水位变幅**

含水层类型	井号	1977 年开采量 (m³)	1977.7.1～1978.1.1 水位变幅(m)	1977.7.1～1977.11.16 水位变幅(m)
二元结构区	38	2 812.0	−0.02	+1.48
	15	3 904.1	+0.18	+1.64
	30	6 536.9	+0.11	+1.52
多层结构区	10	2 384.2	—	+1.54
	11	3 803.6	+0.23	—
	12	6 657.0	−0.01	+2.11

（2）河南地质局水文地质队 1975 年 4 月在周口棉纺印染厂抽水试验证实,在 20 多米深度内尽管无含水砂层,为全新统含礓石(钙质结核)不等的亚砂土和薄层亚黏土组成的冲积层(图 5),但其富水程度是相当可观的(表 2)。河南夏邑县会亭北,井深 27.90m,无含水砂层,原划为"贫水区",非稳定流抽水试验求得 $q = 9.3t/(h \cdot m)$, $T = 90 \sim 100m^2/d$, $K_r = 7.65 \sim 8.47m/d$,均近似于"二元结构"区的水文地质参数值。

（3）安徽淮北涡阳首创的"大骨料井",已推广到淮北和豫东等地,在原划为"贫水"无砂层的地区,已打成数千眼"大骨料井",同样深度的机井出水量比原来增加 1 ~ 2 倍,单井出水量可达 40m³/h 以上。

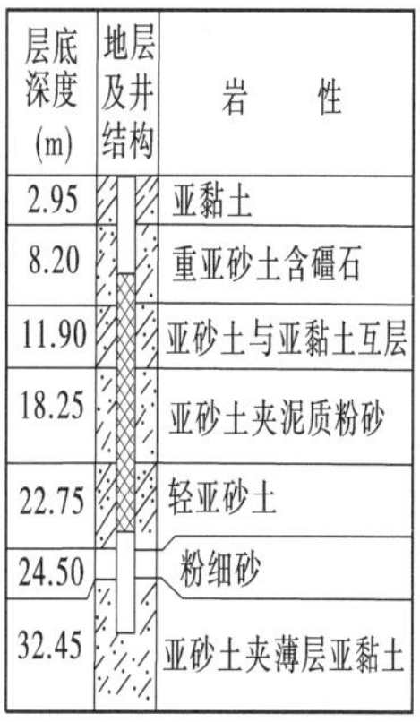

我们以河南商丘地区为例剖析一下:该区 0 ~ 4m 深度内以亚砂土为主,降雨入渗补给系数(α)较大,所能得到的降雨补给量是多的。亚砂土层给水度(μ)可达 0.05 ~ 0.06,所以得到入渗补给的水储存于土层之中或抽水时疏干释水条件也是良好的。地下水运动同样也遵循物质不灭定律,就是说水不会自生自灭,某一瞬间流进一定体积含水层的水和流出这个体积含水层的水以及这个体积含水层中储存的水总量的增减应互相抵消,即收入(补给)量与支出(消耗)量之差等于补给(储存)量。既然收入补给量较大,也能储存起来,水平径流微弱,所以只要控制"最优水位",使潜水蒸发量趋近于零,开采就成为主要支出项。即每年所得到的垂向补给量越大,合理(或允许)开采量(或开采资源)亦大,即富水;反之,则小,贫水。

层底深度(m)	地层及井结构	岩性
2.95		亚黏土
8.20		重亚砂土含礓石
11.90		亚砂土与亚黏土互层
18.25		亚砂土夹泥质粉砂
22.75		轻亚砂土
24.50		粉细砂
32.45		亚砂土夹薄层亚黏土

图 5 周口棉纺印染厂水井地层结构图

表 2 周口棉纺印染厂抽水试验成果

井号	井深(m)		滤水管长度(m)		静水位埋深(m)	单井抽水			互阻抽水		
	原来	现在	原来	现在		涌水量(t/h)	降深(m)	单位涌水量[t/(h·m)]	涌水量(t/h)	降深(m)	单位涌水量[t/(h·m)]
抽1	28	21.0	22.40	12.72	2.71	89.82	3.74	24.02	99.45	5.07	19.61
						123.70	5.67	21.80			
抽2	28	19	22.40	10.88	2.41	153.69	5.54	27.74	141.69	5.47	25.90

再取一单位面积模型来进一步刻画潜水运动特征,两个区的条件如图 6 所示,其计算结果如下:

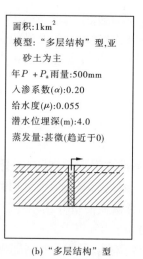

面积:1km²	面积:1km²
模型:"二元结构"型,上部亚黏土为主,下部中细砂层	模型:"多层结构"型,亚砂土为主
年$P + P_a$雨量:500mm	年$P + P_a$雨量:500mm
入渗系数(α):0.18	入渗系数(α):0.20
给水度(μ):0.04	给水度(μ):0.055
潜水位埋深(m):4.0	潜水位埋深(m):4.0
蒸发量:甚微(趋近于0)	蒸发量:甚微(趋近于0)

(a) "二元结构"型　　　　(b) "多层结构"型

图6　模型区条件图

"二元结构"型开采模数计算:

①年大气降雨入渗补给量

$$Q_补 = P \cdot \alpha \cdot F$$
$$= 1\,000\,000 \times 0.5 \times 0.18$$
$$= 90\,000(\text{m}^3)$$

②地下水位变幅 $\Delta h = 1.5$m 时,疏干地下水量

$$= 1\,000\,000 \times 1.5 \times 0.04$$
$$= 60\,000(\text{m}^3)$$

评价:由水量均衡方程

$Q_补 = Q_开 + Q_蒸$,潜水可采

资源 $Q_开 = Q_补 - Q_蒸$

$$= 90\,000(\text{m}^3)$$

开采模数:9 万 m³/(km²·a)

"多层结构"型开采模数计算:

①年大气降雨入渗补给量

$$Q_补 = P \cdot \alpha \cdot F$$
$$= 1\,000\,000 \times 0.5 \times 0.2$$
$$= 100\,000(\text{m}^3)$$

②地下水位变幅 $\Delta h = 1.5$m 时,疏干地下水量

$$= 1\,000\,000 \times 1.5 \times 0.055$$
$$= 82\,500(\text{m}^3)$$

评价:由水量均衡方程

$Q_补 = Q_开 + Q_蒸$,潜水可采

资源 $Q_开 = Q_补 - Q_蒸$

$$= 100\,000(\text{m}^3)$$

开采模数:10 万 m³/(km²·a)

上述分析使我们可以建立这样一个概念:对某一地区潜水而言,降雨入渗系数(α)是接受补给能力大小的指标(因为在同一地区内降雨量是基本相同的),给水度(μ)是反映土层储水和释水能力大小的主要指标,而 T 和 K_r 在水力梯度小的平原区,只是含水层传递水能力强弱的指标。所以,单纯以 T、K_r 值评价平原区潜水"富贫"显然是不合理的。事实说明以往所认为的平原浅层"贫水区"(如河南商丘地区10 000km²,就有3 000km² 面积原划为"贫水区"),有相当面积的地区包气带及水位变动带岩性较粗,具有较好的孔隙性和透水性,不属贫水区,而是较富水的。现在的问题是如何改革成井工艺,增大井周围地层的导水性能(T 和 K_r),如施工大口径井、大骨料井、"母子"井等,增加井壁进水长度和单位长度的进水率。

据此,我们认为,今后主要应从单位时间、单位面积内能够得到垂向补给量的多少、储存水能力的好坏(决定于水位变动带土层的给水度 μ 值)两个方面评价其富水性,并以此作为水文地质编图富水性分区的主要依据。因而只按砂层厚度、颗粒粗细作为富水性划分及分区标准,是值得进一步探讨的。

四、控制最优水位,夺取蒸发量

在非饱和带,存在毛细现象和毛细压力,由于毛细和蒸发作用,使一定水位埋深下潜水水分子向大气中扩散消耗,潜水面下降。据河南省地质局水文地质队原封丘均衡试验场(表3)和安徽五道沟均衡试验场资料(表4)可看出,这种潜水蒸发作用以亚砂土岩性最为强烈,潜水位越浅蒸发量越大,枯水年又较丰水年大,种植作物较不种植作物大。通过潜水均衡和利用 $\varepsilon = \varepsilon_0 (1 - \Delta / \Delta_0)$ 公式计算出1976年商丘地区各县潜水年蒸发量,见表5。

表3 封丘均衡试验场潜水不同水位埋深、不同岩性条件下的蒸发量 （单位:mm）

包气带岩性	水位埋深1～2m			水位埋深2～4m			水位埋深4～6m			水位埋深6～8m		
	丰	平	枯	丰	平	枯	丰	平	枯	丰	平	枯
轻亚砂土、粉砂	225	259	292	68	89	99	27	33	39	23	25	26
亚砂土	330	385	440	80	115	155	20	60	100	10	30	50
亚黏土	15	50	87	7	25	50	3	20	35	2	16	30
轻亚砂土夹黏土薄层	115	190	265	55	73	90	23	31	38	21	28	35

表4 安徽五道沟均衡试验场年潜水蒸发量 （单位:mm）

无作物			有作物		
年份	水位埋深1.5m	水位埋深2.0m	年份	水位埋深1.5m	水位埋深2.0m
1966	28.3	25.3	1970	192.9	89.6
1967	18.0	11.0	1971	251.4	172.1
1968	25.7	19.4	1972	347.0	221.3
1969	26.0	22.8	1973	200.1	59.0
1975	0	0	1974	73.1	26.0
			1976	170.2	163.7
均值	19.6	15.7	均值	205.8	122.0

表5 1976年商丘地区各县年蒸发总量 （单位:mm）

县 名	民 权	睢 县	宁 陵	虞 城	夏 邑	永 城
年蒸发总量	67.40	59.56	49.40	64.40	62.10	102.10

根据以上资料计算,河南省豫东、豫北平原5.70万 km^2 面积多年平均蒸发量约40亿立方米,商丘地区1万 km^2 面积年平均蒸发量约7亿 m^3,均接近于年平均降雨入渗补

给量的一半;徐州微山湖湖西地区,1976年和1977年潜水蒸发消耗量分别占全年补给总量的60%和70%,使宝贵的地下水资源白白地消耗于蒸发中。

随着地下水位埋深的加大,潜水蒸发量减弱已有许多试验数据可证实。那么,当潜水位降到一定深度,能否使潜水停止蒸发或蒸发量相当微弱呢?也就是说,有无"蒸发极限深度"?我们进行了饱和—非饱和层垂直渗流计算的初步研究说明,潜水"蒸发极限深度"是存在的。据原河南封丘均衡试验场不同岩性0.5m、1.5m、2.0m、2.5m水位时潜水蒸发曲线外延趋势看,当水位埋深4m左右时,潜水蒸发量是微弱的(图7)。一些地区地下水动态观测资料也说明了这一点,当潜水位埋深4m左右时,在无开采和补给时,地下水位相当稳定,近似于平直线(图8)。

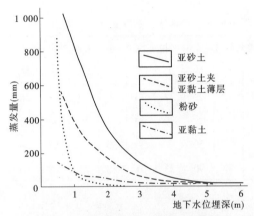

图7 封丘县均衡试验场潜水蒸发量和
　　　地下水位埋深关系图

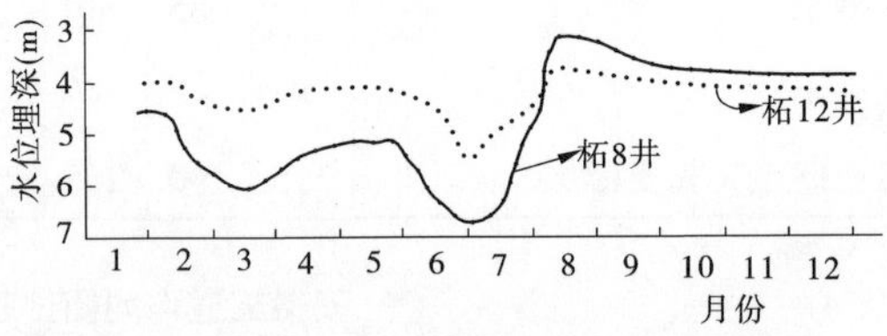

图8 1977年柘城县浅层水位动态曲线

根据地下水动态计算公式和相关分析求得商丘地区潜水"蒸发极限深度"(Δ_0)一般为3～4m,江苏徐淮、敬安等地 Δ_0 为3.59～3.94m,山东聊城地区贾白、李庄、胡里庄 Δ_0 为3.0～3.5m。据此,为了夺取蒸发量,我们完全可以人为地将地下水位控制在"最优水位"。所谓"最优水位"就是降雨入渗量大、蒸发量微小、防盐、防渍、防涝,又能充分发挥现有大量提水工具的能力时的地下水位,初步认为,商丘地区为3～4m,将潜水动态类型由"入渗—蒸发、开采型"转化为"入渗—开采型"。消耗量的减量实际也就是补给量的增量,黄淮平原这个量每年每平方公里面积约7万 m^3,相当于该区每公顷耕地一年得到1050 m^3 地下水的补给量,这个量比黄淮平原目前的开采量还大(就全区平均而言)。从封丘均衡试验场人工降低地下水位所能获取的稳定水量资料(表6)也可看出,控制"最优水位"夺取蒸发量,是当前开发浅层水、开源节流的一个重要方面,应引起水文地质和水利工作者的高度重视。若我们能在增大降雨入渗补给量(减少降雨径流排泄量)和夺取蒸发量方面获得成功,那么,应该讲黄淮平原浅层水资源是比较丰富的,再加上当地地表水资源的充分利用,是基本上能够满足该区农灌需水要求的,南水北调的水量及工程量可以大大减少和缩小规模。

表6 人工降低地下水位所能获取的潜水水量　　　　　　　　　　　　　　　　（单位:mm）

包气带岩性	潜水位由0.5m降到					潜水位由1.0m降到				潜水位由2.0m降到	
	1.0m	1.5m	2.0m	2.5m	4~6m	1.5m	2.0m	2.5m	4~6m	2.5m	4~6m
亚黏土	93.5		118.9	132.2	149.8		25.4	38.7	56.3	13.3	30.9
亚砂土夹亚黏土薄层	257.7	300.8	403.7	523.7	583.9	43.1	146	266	326.2	120	180.2
亚砂土	406		821.9	966.6	1 120.2		415.9	560.6	714.2	144.7	298.3
粉砂	838.8		859.3	897.8	868.6		56.5	59		2.5	

注:若能获得365mm的蒸发量,则有10km² 面积即可供日开采量1万 m³ 的水源地稳定开采。

黄淮平原大面积井灌井排实践证明,加速浅层水垂直交替,控制最优水位,对防治该区旱涝盐碱均有显著作用。该区春、秋干旱频繁,有时连续几年干旱,地下水库能起到良好而较可靠的调节作用。浅层水位下降了,在土体内腾出了所占有的部分"空间",实际已起到了降雨入渗、多容纳部分地面涝水、缓和涝情的作用。"盐随水来,盐随水去",控制最优水位,地下水、土中的盐分就不易随蒸发而在地表土壤中积累,井灌井排使土体常年以下渗水流为主,提高了灌水和降雨淋洗盐分的效果,不少地区盐碱土已明显脱盐,脱盐深度也随之不断增加。内陆不连续的古老盐渍土被掩埋,使局部地区地下水中含盐量不断增加,加之地下径流不畅,使咸水基本处于封闭状态,通过机井抽水,浮于咸水体上的淡水,可因负压而下渗,也加快了降雨入渗和井周围地下水的径流,可使被掩埋的内陆古老盐渍土和高矿化咸水处于脱盐淡化状态,还为蓄存淡水创造了条件。所以讲,开发浅层水,加速井灌井排,是防治黄淮平原旱涝盐碱灾害的一项重要水利措施。研究浅层水以垂向为主的运动规律是十分重要的。

在编写本文过程中,参考了商丘浅层水资源评价研究组(1977、1978)、河南省水文地质队(1969、1970)、安徽省水利科学研究所(1978)、徐州地区水利局和华东水利学院(1977)以及江苏省水文地质队(1978)等单位的资料。在此一并致谢。

（本文原载《水文地质工程地质》1979 年第 5 期）

河南省商丘平原区浅层地下水资源评价

　　河南省商丘地区位于黄河以南,属于黄淮海平原的中部平原部分,称豫东平原,包括8县1市(即:民权、睢县、宁陵、柘城、商丘、虞城、夏邑、永城县及商丘市)。面积10 352 km²,位于东经 114°49′~116°39′,北纬 33°43′~34°52′。这里是重要的粮、棉、烟产区,有耕地 64.3 万 hm²,但也是旱涝盐碱等多灾地区。区内距地表 40~50m 深度以内,普遍分布较丰富的地下水,由于埋藏浅,所以称浅层地下水。其特点是埋藏浅、水质较好,开采方便。研究浅层地下水赋存条件和运动规律,合理开发利用浅层地下水资源,综合治理旱涝盐碱,具有重要的现实意义。攻关组❶ 于 1977~1980 年 9 月开展了试验研究工作,提交了《商丘地区浅层地下水资源评价研究》报告。

一、区域水文地质条件

(一)自然地理特征

　　本地区,除了南部永城县境内有 51.3km² 面积的孤山残丘之外,均为黄河历次改道、决口南泛和淮河北岸支流冲积形成的平原。从北向南大致可分为:古黄河大堤以北的高滩地、黄河故道,古黄河大堤以南的背河洼地、中部冲积平原、南部湖沼洼地(见图1)。

　　区内多年平均降水量为 656~832mm,降水量自东南向西北递减。降水量不同季节间变化较大,6~8 月的降水量占全年的 55%,12 月至次年 2 月降水量仅占 5%;降水量的年际间变化也大,最多的年份为 865~1 518mm,最少的年份为 301~556mm。本区年平均蒸发量一般在1 500~2 100mm 之间,蒸发量自东南向西北递增。本区年平均气温为13.9~14.4℃,年平均湿度 71%。

　　本区主要的河流有:惠济河、大沙河、包河、涡河、浍河、沱河,河水流量旱季和雨季相差悬殊。

(二)水文地质条件

　　豫东平原,分布有较厚的新生代地层,蕴藏着比较丰富的地下水。本区新生界地质结构十分复杂,由不同时期、不同成因的沉积物构成的重叠交错的沉积结构,具有复杂的水文地质特征,水文地质条件变化很大。根据本地区多层地下水的分布状况,按其埋藏深度划分为浅层地下水和深层地下水。

　　浅层地下水,在本地区是指埋深在 60m 以内的地下水,主要为全新世含水岩层。当

---

　　❶　商丘地区地下水资源评价研究攻关组参加单位:河南省地质矿产局水文地质管理处、北京大学数学系、武汉水电学院农水系、商丘地区水利局。

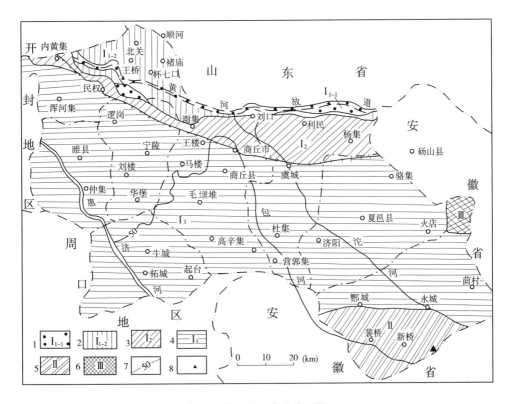

图1 商丘地区地貌分区图

1—沙丘沙垄;2—河漫滩;3—背河洼地;4—开阔平原;5—淮河冲积平原;6—剥蚀残丘;
7—地形等高线(m);8—孤山残丘

地农田灌溉用水主要是开采浅层地下水。

浅层地下水的分布,主要是被黄河泛滥、改道冲积作用所形成的环境所控制。在垂直于河道主流带的剖面上,一般呈串珠状透镜体形式分布,在平面上为脉叶状展布。古河道的含水砂层,由北西至南东贯穿本区的中部,主要岩性是细砂、中细砂。含水层底板埋深20~40m,下部的以粗颗粒的物质为主,作为含水层;上部的颗粒较细,视为弱含水层,构成"二元结构"类型含水系统,含水层顶板埋深一般为10~20m。浅层地下水单井涌水量一般为700m³/d,水位埋深一般为2~4m,低水位是4~6m,分布面积为7 000多平方公里。在北部和东北部的黄河故道地区是以砂性土为主的"多层结构"类型含水系统,单井涌水量一般小于500m³/d,水位埋深一般为4~6m,低水位是6~8m。在南部和东南部为淮河泛滥区,含水层以裂隙发育的黏性土为主,夹有较多的钙核,单井涌水量达700m³/d。

浅层地下水的动态变化:水位的天然变幅一般小于2m,在人工开采影响下,水位变幅超过2m,有的地方,因过量开采已形成水位下降漏斗,如商丘漏斗、柘城马元漏斗。影响地下水位动态变化的因素有:地形的起伏、降水、蒸发和人工开采等。浅层地下水的水力坡度很小,自西向东为1/4 000~1/5 400。浅层地下水的水质矿化度小于2g/L的淡水,分布面积为9 933.15km²;矿化度2~3g/L的微咸水,分布面积为183.60km²;矿化度为3~5g/L的半咸水,分布面积为216km²;矿化度大于5g/L的咸水,分布面积为

$19.25km^2$。半咸水和咸水主要分布在北部黄河故道的附近地区。

豫东平原属于开阔的冲积平原,地表径流迟缓,地下水埋藏浅,水力坡度小,地下水的运动以垂向水交替为主,其补给主要来自大气降水、河流和灌溉水的入渗,排泄主要是蒸发消耗和人工开采。浅层地下水水位以上的非饱和带以砂性土为主,结构松散,有利于水的渗入补给。在抽水的影响下,"二元结构"含水系统的弱含水层和含水层之间形成水头差,见图2。

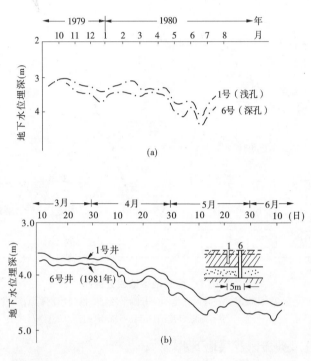

图2 商丘县大吴庄弱含水层和含水层水位变化曲线

在抽水的初期,弱含水层的疏干释水量小于含水层的抽水量,含水层的水位不断下降,当含水层的水位趋于稳定时,弱含水层的疏干释水量也趋于稳定接近含水层抽水井的涌水量。当有降水的渗入补给时,弱含水层获得补给。大吴庄在1981年3月1日至6月7日间,曾强烈地抽取地下水,1号观测井和6号观测井的水位变化见图2(b),含水层水位下降1.08m,弱含水层水位下降0.91m,这说明:垂向水交替是浅层地下水的主要运动特征。浅层地下水赋存条件良好,是一个"垂向调节的地下水库"。

在浅层地下水的下面,60~250m(或至400m)为深层地下水,只有为数很少的工业用水井开采使用。深层地下水,包括更新世含水岩层和上新世含水岩层,见图3。更新世含水岩层埋深一般在40~170m,顶部普遍有一层黑灰色亚黏土,往下为一套灰黄、灰一浅黄、黄绿杂色亚黏土为主,夹亚砂土层,结构较松散,夹有粉砂、粉细砂透镜体,其中含有钙质结核,底部为中细砂或泥质含砾中细砂的透镜体。中深层地下水的水质较差,矿化度小于$2g/L$的淡水,面积仅有$2\,500km^2$;而矿化度$2\sim3g/L$的微咸水,分布面积最大,为$6\,230$ km^2,属于$Cl^- \cdot SO_4^{2-}—Na^+ \cdot Mg^{2+}$及$Cl^- \cdot SO_4^{2-} \cdot HCO_3^-—Na^+ \cdot Mg^{2+}$型水;其余面积$1\,622$

km² 为 3~7.48g/L 的半咸水和咸水,属 $Cl^- \cdot SO_4^{2-}—Na^+ \cdot Mg^{2+}$ 及 $SO_4^{2-} \cdot Cl^-—Na^+ \cdot Mg^{2+}$ 型水。地下水流向与掩埋的古河道方向一致,水位标高与浅层地下水位相近似。深度在 160~170m 以下为上新世含水岩层,属于河湖相沉积,为棕、棕红、紫红色和灰绿色厚层黏土及棕黄色中细砂,夹有亚黏土和少量亚砂土。其特征是含水砂层发育,并且分布较稳定。单井出水量较大,单位降深涌水量一般为 4~6m³/(h·m),最大者达 15.8m³/(h·m)。深层地下水水质较好,矿化度为 1g/L,为 $HCO_3^- \cdot SO_4^{2-} \cdot Cl^-—Na^+$ 和 $SO_4^{2-} \cdot Cl^-—Na^+$ 型水。南部为自流水分布区,面积有 2 000 多平方公里,自流量一般为 10~25m³/h,最大达 36.16m³/h,水头平均高出地表 3.65m。

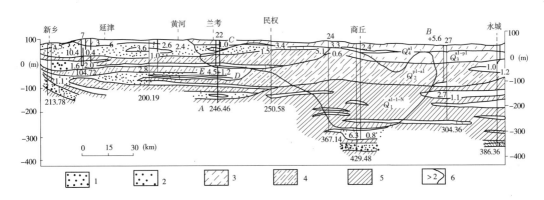

图 3 区域水文地质剖面图

1—砂;2—砂砾石;3—黏质砂土;4—砂质黏土;5—黏土;6—地下水矿化度大于 2g/L 的范围;
A—井深(m);B—水头(m);C—水位埋深(m);D—矿化度(g/L);E—单位涌水量[m³/(h·m)]

二、数学模型与参数确定

(一)数学模型

现假设本地区浅层地下水和深层地下水之间没有水力联系,根据浅层地下水运动特征,以垂向运动为主,水平方向的运动微弱,按水量均衡原理,可以列出浅层地下水资源评价数学模型:

$$F\mu\Delta H = (Q_a + Q_s + Q_1) - (Q_p + E_t) \qquad (1)$$

式中:F——均衡区计算区面积,km²;

　　μ——水位变动带岩性平均给水度;

　　ΔH——Δt 时段内水位变化值,m;

　　Q_a——大气降水入渗补给量,m³/a,其值等于降水量(P)与降水入渗系数(α)的乘积;

　　Q_s——河和渠道水渗漏补给量,m³/a;

　　Q_1——灌溉水回渗补给量,m³/a;

　　Q_p——地下水开采量,m³/a;

E_t——潜水自然蒸发量,m^3/a。

(二)参数的确定

1.大气降水入渗系数(α)的确定

大气降水入渗系数,视计算时段的不同,可分年降水入渗系数 α,汛期降水入渗系数 α_f,一次降水入渗系数 α_t。

(1)利用水量均衡方程反求汛期降水入渗系数 α_f。7~9月是本地区降水集中补给地下水的时段。地下水开采量、蒸发量和水位抬高所储存的水量应与降水入渗补给的地下水量相平衡。水量均衡方程为:蒸发量、开采量和储存的水量应与降水入渗补给的地下水量相平衡。

在方程(1)中只包括 α 和 μ 两个未知数,可通过选取汛期两个时段来联立求解,用长观井的资料计算 α_f 和 μ。

$$\begin{cases} P_1 F\alpha_f - \mu\Delta h_1 F - q_1 = 0 \\ P_2 F\alpha_f - \mu\Delta h_2 F - q_2 = 0 \end{cases} \quad (2)$$

式中:P_1、P_2——汛期两个时段的降水量;

F——计算区面积;

Δh_1、Δh_2——两个时段的水位上升值;

q_1、q_2——两个时段内的综合量(抽水量、蒸发量、侧向径流量、灌溉回渗量)。

(2)应用降水—地下水位上升值相关分析求年降水入渗系数 α。当已知降水量(P)、前期影响降水量 P_a、给水度 μ、地下水位变幅 Δh 后,即可推求 α。其计算公式为:

$$\alpha_f = \frac{\mu\sum\Delta h_f}{\sum(P_{af} + P_f)}$$

或

$$\alpha = \frac{\mu\sum\Delta h}{\sum P_i} \quad (3)$$

经过分别计算,绘制了不同岩性、不同水位埋深的($P_i + P_{ai}$)—$\sum P_年$ 相关图(见图4),并从($P_i + P_{ai}$)—$\sum P_年$ 相关图过渡到$\sum P$—$\sum\Delta h$ 相关图(见图5)。只要知道年降水量$\sum P$,就可在相关图上查出相应年降水量的地下水位上升值$\sum\Delta h$(m),$\sum\Delta h \cdot \mu$ 即为年降水入渗补给地下水的量。

通过降水入渗系数的计算,获得如下几点认识:

第一点,经过对102个长观井的地下水位和降水量相关分析计算,当地下水位埋深2~4m时,对浅层水产生补给作用的多年平均降水量(即引起地下水位上升的降水量 P 和前期影响降水量 P_a 之和)占年降水量的百分比:对岩性为亚砂土的包气带是76%,亚砂土与亚黏土互层73%,亚黏土为70%,全区加权平均为75%。

在一年中,能对浅层水产生补给作用,而使水位上升的那部分降水量和前期影响降水量之和称补给地下水的有效降水量 P_v:

$$P_v = \sum_{i=1}^{n}(P_{ai} + P_i) \quad (4)$$

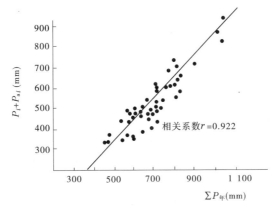

(a)包气带岩性:亚砂土

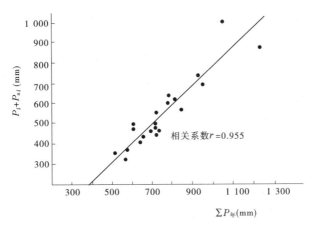

(b)包气带岩性:亚砂土与亚黏土互层

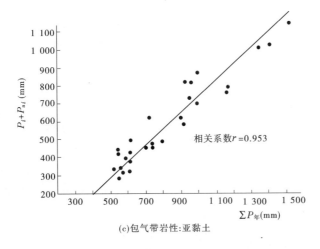

(c)包气带岩性:亚黏土

图4 商丘地区$\sum P_年$与$(P_i + P_{ai})$相关曲线

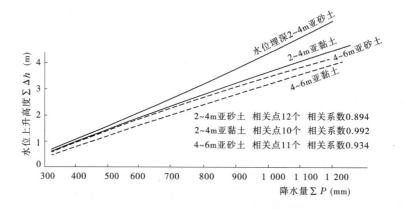

图5 商丘地区$\sum P$ 与$\sum \Delta h$ 相关图

通过对不同岩性包气带中长观井的$\sum (P_i + P_{ai})$—$\sum P_i$ 的全年资料分析,找到了两者之间的相关关联:即年降水量$\sum P_i$ 大,则该年 P_v 亦大,反之则小。并确定出不同条件下的年降水量$\sum P$ 与年有效降水量$(P_i + P_{ai})$之间的相关关系。由于本区内降水的时间集中,浅层水一般在 7~9 月份得到较多补给,故在地下水动态曲线上反映出汛期地下水位的明显抬高$(+\Delta h)$,时段容易取准,降水入渗补给地下水量 $\Delta h\mu$ 计算精度较高,再用$(\Delta h\mu)$除以汛雨期降水量,就比较容易准确地计算出 α_f。

第二点,降水入渗补给与水位埋深的关系。根据计算出 646 个时段的降水入渗系数 α_t 可以说明:不论包气带岩性为亚砂土还是亚黏土,0~1m 水位埋深时的降水入渗系数 α_t 最小。随着水位埋深的加大,α_t 值递增,至水位埋深 2~3m 时,α_t 值最大,然后随着水位埋深的加大,又出现 α_t 值的递减。计算资料还表明,1~2m 和 3~4m 水位埋深时的 α_t 值基本相同。各县长观井的水位埋深不同,包气带岩性也不尽相同,但对降水量大于 70mm 的 229 个时段计算结果表明,不论是亚砂土,还是亚黏土,当水位埋深 2~3m 时 α_f 最大,水位埋深 1~2m 和 3~4m 时的 α_f 基本相同(图 6)。

第三点,关于前期降水量对降水入渗补给地下水的影响。降水前土壤含水量愈大,两次降水时间间隔愈短,则降水就容易对浅层水产生补给;反之,降水前土壤含水量愈小,两次降水时间间隔愈长,则降水对浅层水补给作用就愈弱。

第四点,确定降水入渗系数 α 的时段应与计算降水补给地下水量的时段相一致。以往比较多的是将汛期求得的降水入渗补给地下水系数 α_f 误认为年平均降水入渗系数 α,所以习惯用全年总降水量 $\sum P$ 乘以 α_f 来表示年降水入渗补给地下水的量,其值是偏大的。若能采用以下方法计算降水入渗补给地下水量,则是比较合理的。

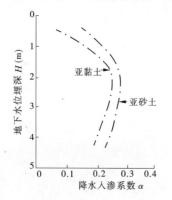

图6 商丘地区 α—H 关系图
(降水量>70mm 时段)

$$Q_\alpha = \alpha F \sum P_i \qquad (5)$$

或 $$Q_\alpha = \alpha_f F\alpha' \sum P_i = \alpha_f F \sum (P_i + P_{ai}) \tag{6}$$

式中 α' 称有效降水补给地下水系数,商丘包气带岩性亚砂土为 76%,亚砂土与亚黏土互层为 73%、亚黏土为 70%,全区加权平均 75%。

2. 蒸发极限深度 Δ_0、蒸发强度 ε 和蒸发量 E_t 的确定

在非饱和带,存在毛细水和毛细压力。由于毛细作用和蒸发作用,使一定水位埋深下,潜水常常是向大气中扩散消耗,引起潜水面下降。随着地下水位埋深的加大,潜水蒸发量减弱。可以推测,当潜水位降到一定深度,以至于可以认为没有蒸发或蒸发量将相当微弱,也就是说,存在一个"蒸发极限深度"。所谓地下水蒸发强度就是在蒸发极限深度以内,产生浅层水蒸发时,单位时间单位面积的蒸发量。

(1)蒸发极限深度 Δ_0 的确定。地下水蒸发强度可用阿维利雅诺夫公式计算:

$$\varepsilon = \varepsilon_0 \left(1 - \frac{\Delta}{\Delta_0}\right)^n \tag{7}$$

式中:Δ——潜水水位埋深,m;

Δ_0——潜水蒸发的临界水位埋深,m;

ε_0——地表土壤饱和时的蒸发值,mm/d,可用地面蒸发器观测的水面蒸发值近似代替;

ε——相应水位埋深 Δ 的计算蒸发量,mm/d;

n——因气候和土壤而异的指数,$n = 1 \sim 3$ 之间,一般可以取1。

若 $C = \varepsilon/\varepsilon_0$,称潜水蒸发系数。当 $\Delta = 0$ 时,$C = 1$;$\Delta = \Delta_0$ 时,$C = 0$。

其中包括的蒸发极限深度 Δ_0 可根据蒸发—水位降的动态资料,采用试算法,直接代入计算,也可以用动态曲线图解法和动态曲线切割法等计算 Δ_0 值,一般平均值为 $3 \sim 4$m。

(2)蒸发强度(ε)和蒸发量(E_t)的计算。在已知蒸发极限深度 Δ_0 和给水度 μ 时,即可计算蒸发强度和蒸发量。

一般是用阿维利雅诺夫公式,根据天然状态下水位动态资料求 ε。利用商丘县大吴庄均衡观测区有限差分格式观测资料,孔深 8.50m,孔距 $L = 200$m(图7)和非稳定流抽水求得 $T = 7.6$m^2/d,$\mu = 0.05$。包气带岩性为亚砂土,汛后水位埋深在 3m 左右,计算年蒸发量在 $10 \sim 20$mm 之间。计算公式为:

$$\varepsilon = \mu \frac{\Delta h}{\Delta t} - \frac{T}{L^2}(\overline{h_2} + \overline{h_3} + \overline{h_4} + \overline{h_5} - 4\overline{h_1}) \tag{8}$$

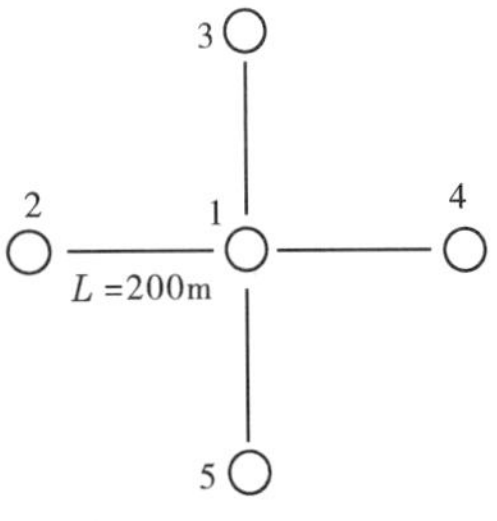

图7 商丘县大吴庄观测孔布置图

区域蒸发量(E_t)的计算。浅层水蒸发量(E_t)等于蒸发强度(ε)、产生蒸发的天数(t)、面积(F)三者的乘积,即:$E_t = \varepsilon F t_0$。计算 1975 年全区浅层水蒸发量为 5.348 1 亿 m^3,1976 年为 4.828 3 亿 m^3,1977 年为 5.561 5 亿 m^3,三年平均蒸发量为 5.246 0 亿 m^3。各县蒸发量相差较大,主要是由于水位埋深不一,不同包气带岩性分布面积不一。永城县年蒸发量高达 1.521 2 亿 $\sim$ 1.795 2 亿 m^3,蒸发水层高度为 $81.9 \sim 96.7$mm。柘城县年蒸发量小于 0.10 亿 m^3,蒸发水层高度为 $1.6 \sim$

9.4mm。

通过上述工作,有如下几点认识:

第一点,浅层水蒸发极限深度是存在的。具体依据是:设计理论模型,进行"饱和—非饱和层垂直渗流计算"说明,尽管设计初始潜水位埋深不同(一是 4.2cm,一是 90cm),但在相同蒸发条件(保持地面干燥)下,经过 75 000s 以后,潜水位都稳定在埋深 114cm 的地方,而且非饱和带的含水率分布最后也稳定在同样的状态上。

当水位埋深在 4m 左右,在无开采和补给条件下,汛后地下水位动态曲线趋近于平直线。

原河南省地质局水文地质队封丘均衡试验场不同岩性和不同水位埋深(0.5m、1.0m、1.5m、2.0m、2.5m)潜水蒸发曲线外延趋势可以看出,当水位埋深 4m 时的潜水蒸发量是较弱的。

商丘县大吴庄观测区水位埋深 3～4m,包气带岩性亚砂土,计算年蒸发强度为 10～20mm。

第二点,封丘均衡试验场不同岩性、水位埋深 2.50m 的筒测资料表明,一定降水量可以造成以后一定天数的地下水蒸发量接近于零。降水量愈大,地下水无蒸发天数愈长。反之,则短或等于零。这表明降水以后蒸发的只是包气带的水,潜水(饱水带)基本上没有蒸发。

所以,某一时段的浅层水蒸发量应等于蒸发强度 ε_i 乘以浅层水产生蒸发的天数 t,即计算某一时段蒸发量时,应对照降水量资料,扣除降水后地下水无蒸发的天数,$E_i = \varepsilon_i \times t$,否则将使计算的蒸发量值明显偏大。

第三点,根据选取永城、夏邑、睢县等地不同水位埋深,不同包气带岩性的观测孔,利用 1977 年汛期之后水位动态资料,按 $n = 1,2,3$ 逐个计算对应的蒸发极限深度 Δ_0,并用以算出水位埋深、给水度和蒸发量,与实测、试验值相比较,研究 n 取何值为好。发现当 $n = 1$ 时,计算的结果最优,计算出 $\mu = 0.04 \sim 0.06$。当 $n = 2$ 时,$\mu = 0.009 \sim 0.036$;$n = 3$ 时,$\mu = 0.003 \sim 0.03$。再如,睢 8 观测井,包气带和水位变动带岩性为亚砂土,$n = 1$,$\Delta_0 = 2.93m,\mu = 0.057$;$n = 2,\Delta_0 = 3.50m,\mu = 0.033$;$n = 3,\Delta_0 = 4.08m,\mu = 0.024$。

第四点,发展井灌,加强地下水的开发利用,合理控制地下水水位,减少地下水的蒸发消耗,使之转化为水资源,是当前水利挖潜的重要方向,并对防治盐碱和渍涝均有良好的作用。

3.灌溉回渗系数(β)的确定

选择商丘地区中部,水位埋深 3.35～3.40m,包气带的岩性为亚砂土和亚黏土,分别进行了两组不同定额的灌溉回渗试验,取得如下结果:商丘市北郊亚砂土,灌溉前土壤含水量为 19.78%,定额 600m³/hm²,回渗系数 β 为 11.65%;商丘县南郊亚黏土,定额 900m³/hm² 和 1 200m³/hm²,灌溉前土壤含水量为 23.12%～23.19%,回渗系数 β 分别为 8.6% 和 10.4%。

4.河渠对浅层地下水的补给量(W)的确定

引河水进行农田灌溉,与修建拦河闸均使河水补给浅层地下水,可根据河水灌溉引起地下水位的上升值,计算灌溉水入渗量。根据拦河闸蓄水后,河水水位上升形成对浅层地下水的补给,可用岸边回水动力学公式进行计算。

5. 给水度(μ)的确定

给水度就是表示单位面积内含水层中潜水水位每下降单位深度时由含水层疏干所释放出来的水量。其确定方法如下：

(1)根据非稳定流抽水试验资料求 μ。根据在不同水文地质区先后进行的 10 组非稳定流抽水试验，按浅层水"二元结构"布尔顿模型和没有主要含水砂层的多层结构含水层简化潜水含水层的纽曼模型来计算 μ。

所谓浅层水"二元结构"布尔顿模型，即下部粗粒相含水层，上面覆盖一层亚砂土、亚黏土一类细粒相的弱含水层，含水层以下为相对隔水底板。因此，可以认为含水层是微承压含水层，弱含水层为潜水含水层。当用完整井从承压含水层中抽水，潜水含水层中水向下运动补给承压含水层。潜水含水层的疏干给水度 μ，垂直渗透系数 K_z，水位降 s_1，潜水层厚度 b，承压含水层导水系数 T，弹性释水导数 S，水头降深 s_2，观测孔与主孔距离 r，则可确定为如下定解问题：

$$\begin{cases} K_z \dfrac{s_2 - s_1}{b} = \mu \dfrac{\partial s_1}{\partial t} \Big|_{Z=b} \\[2mm] s_1 \big|_{t=0} = 0 \\[2mm] s_1 = s_2 \big|_{Z=0} \\[2mm] \dfrac{\partial^2 s_2}{\partial r^2} + \dfrac{1}{r}\dfrac{\partial s_2}{\partial r} + \dfrac{K_z}{T}\dfrac{s_1 - s_2}{b} = \dfrac{s}{T}\dfrac{\partial s_2}{\partial t} \\[2mm] s_2 \big|_{t=0} = 0 \\[2mm] s_2 \big|_{r\to\infty} = 0 \\[2mm] r\dfrac{\partial s_2}{\partial r}\Big|_{r\to 0} = -\dfrac{Q}{2\pi T} \end{cases} \tag{9}$$

当 $\alpha = \dfrac{K_z}{\mu b}$ 时，获得和布尔顿延迟给水潜水井流公式一样的解：

$$s_2 = \frac{Q}{4\pi T} W\left(\frac{1}{u_a}, \frac{1}{u_b}\frac{r}{B} \right)$$

式中：$\dfrac{1}{u_a} = \dfrac{4Tt}{r^2 S}$，$\quad \dfrac{1}{u_b} = \dfrac{4Tt}{r^2 \mu}$，$\quad B^2 = \dfrac{K_z}{Tb}$。

"多层结构"含水层系统，简化为潜水含水层，按纽曼潜水井流理论：

$$s = \frac{Q}{4\pi T} S_D(t_s, t_y, \beta) \tag{10}$$

式中：$t_s = \dfrac{Tt}{r^2 S}$，$\quad t_y = \dfrac{Tt}{r^2 \mu}$，$\quad \beta = \dfrac{K_z}{K_r}\left[\dfrac{r}{b} \right]^2$。

用非稳定流抽水试验资料计算的参数，见表1和表2。

(2)按区域水量均衡法求 μ。在每年的 1~6 月份，由于集中开采和蒸发的影响，浅层地下水位下降。在这段时间内，抽水和蒸发的水量应与水位下降所释放出来的水量平衡。即：

表 1

"二元结构"布尔顿类型抽水试验成果

抽水井位置	抽水井深度(m)	静水位埋深(m)	含水层厚度(m)	弱含水层厚度(m)	含水砂层顶底板埋深(m)	含水砂层厚度(m)岩性	水位变动带(m)岩性	抽水时间恢复时间(min)	抽水量(m³/h)	观测孔与主孔距离r(m)	η / β	T / K_r	μ / S	K_z / t_0
夏邑县周楼	26.10	3.95	22.15	5.65	9.60~22.30	12.70 中细砂	3.95~5.09 亚黏土	5 520 / 1 560	22.50	观3 r=21	11 / 0.2	156 / 7.04	0.036 / 0.003 6	0.07 / 3.8
										观5 r=51.20	11 / 0.5	138 / 6.23	0.038 / 0.003 8	0.07 / 7.9
商丘县大吴庄	24.00	3.91	20.09	9.99	13.90~22.70	8.80 细砂 中细砂	3.91~4.944 亚砂土	5 660 / 2 260	22.50	观1 r=10.65	— / 0.3	242 / 12.04	0.059 / —	— / —
民权县刘店	33.53	2.58	30.95	17.92	20.50~37.20	13.03 中细砂 粗中砂	2.58~4.54 亚砂土	19 080 / 13 860	39.00	观2 r=20	8 / 0.2	133 / 4.29	0.052 / 0.007 8	0.24 / 5.9
										观4 r=50	6 / 0.5	101 / 3.26	0.048 / 0.009 1	0.18 / 12.0
柘城县王楼	22.80	3.11	19.69	8.39	11.50~25.50	11.30 细中砂 中细砂	3.166~4.366 亚砂土下部有的亚黏土为主0.5m	21 730 / 10 120	34.70	观2 r=10.42	11 / 0.1	239.9 / 12.18	0.037 / 0.003 6	0.19 / 2.76
										观3 r=21.07	17 / 0.2	233 / 11.83	0.040 / 0.002 5	0.19 / 5.6
										观4 r=50.20	3.9 / 0.5	217 / 11.02	0.046 / 0.001 2	0.18 / 8.3
宁陵县张寨园	22.80	2.78	20.02	13.12	15.90~28.30	6.90 细砂 中砂	2.78~3.60 亚砂土	9 660 / 6 240	20.22	观3 r=18.40	32 / 0.1	252.4 / 12.60	0.050 / 0.001 6	0.10 / 11.07
										观4 r=47.04	— / 0.25	287 / 14.33	0.050 / —	0.11 / 22.1
睢县尤吉屯	41.50	3.31	38.19	19.19	22.50~28.00 36.50~48.30	10.50 中细砂 细中砂	3.31~4.00 亚砂土	8 700 / 6 720	26.70	观2 r=20.90	— / 0.4	259.3 / 6.78	0.050 / 0.012 3	— / —
										观3 r=21.30	— / 0.316	271.7 / 7.11	0.059 / 0.019	0.68 / —

备 注：

(1) 含水层厚度为孔底深度至静水位埋深距离；

(2) 弱含水层厚度为砂层顶板埋深至静水位埋深距离；

(3) 变动带岩性指浅层观测孔水位降深区间的岩性；

(4) 除睢县尤吉屯观2为混合孔外，其他均为同深止水孔；

(5) 含水砂层至砂层顶板埋深底深度为含水砂层顶板埋深距离；

(6) 表中符号含义：

η 为 $1+\dfrac{\mu}{S}$；

β 为 $r\sqrt{K_z/K_r}/Tb$；

T 为导水系数，m²/d；

K_z 为垂向渗透系数，m/d；

K_r 为水平渗透系数，m/d；

S 为弹性给水度；

t_0 为延迟给水消失时间，d；

μ 为疏干给水度。

表2　"多层结构"纽曼类型抽水试验成果

抽水井位置	抽水井深度(m)	静水位埋深(m)	含水层厚度(m)	含水层岩性	水位变动带(m)岩性	抽水时间恢复时间(min)	抽水量(m³/h)	观测孔与主孔距离 r(m)	β	T	K_r	μ	S	K_z	备注
夏邑县会亭	15.40	3.67	11.73	亚砂土与亚黏土互层，富含钙质结核	3.67~6.09 以亚黏土为主	4 680	22.50	观1 r=9.40	0.004	95.0	8.09	0.047	0.001 0	0.048	除 $\beta=\dfrac{K_z}{K_r}\left(\dfrac{r}{b}\right)$ 不同表1外，其他参数含义同表1。
								观2 r=18.80	0.01	99.4	8.47	0.047	0.003 3	0.033	
						2 160		观3 r=67.2	0.2	89.8	7.65	0.049	0.003 2	0.046	
虞城县王庄	33.70	3.79	29.91	亚砂土含礓石亚黏土夹薄层粉砂	3.79~5.58 以粉砂轻亚砂土为主，顶部有0.7m厚亚黏土	10 025	9.20	观1 r=10	0.004	49.05	1.64	0.057	0.003 7	0.058	
						5 600		观2 r=20	0.01	40.6	1.35	0.058	0.003 0	0.030	
								观3 r=50	0.06	47.6	1.59	0.055	0.003 1	0.036	

$$\mu \Delta hF = Q_p + E_t \tag{11}$$

在抽水量、蒸发量和水位下降均已知的情况下，可利用降雨量少的上半年资料求给水度 μ，也可以利用蒸发—水位降的动态变化资料求给水度 μ，或者用两个未知数 α、μ，用联立方程求解法计算给水度 μ。

6. 导水系数 T 与渗透系数 K_r、K_z 的确定

导水系数 T 等于水平方向渗透系数与含水层厚度的乘积，即 $T = K_r \cdot b$，单位：m^2/d。

渗透系数 K 一般随着方向变化而变化（各向异性）。在讨论"多层结构"时，假定水平方向的渗透系数 K_r 与垂直方向的渗透系数 K_z 不同。在其他情况下都认为含水层是各向同性的。其确定方法可利用流向抽水井的非稳定流理论求 T、K_r、K_z。

7. 区域浅层水侧向径流补给量（Q_h）

可以按下式计算：

$$Q_h = TI_{cp}B \tag{12}$$

式中：I_{cp}——三角形剖分计算断面水力坡度；

B——计算断面宽度，m。

可以将该区周边长观井进行三角形剖分，然后计算不同时段每个三角形的流入量或流出量，整个地区周边侧向径流补给量为：

$$Q_h = \sum Q_{in} - \sum Q_{ou} \tag{13}$$

式中：$\sum Q_{in}$——侧向流入量；

$\sum Q_{ou}$——侧向流出量。

计算结果是：该区每年周边浅层水侧向径流补给量不足 400 万 m^3，基本可忽略不计。

8. 区域地下水开采量 Q_p

地下水开采量是很重要的基本资料，对 1975～1977 年的全区浅层地下水开采量进行了统调，并根据区域地下水动态观测资料进行验证和调整。浅层地下水年开采量约 6 亿 m^3。

（三）参数验证

利用水量均衡原理：补给量 $R(t)$ 减去排泄量 $D(t)$ 等于消耗于含水层水的储存量的变化，可得出时段末期水位：

$$H_e = \frac{H_0 \mu F - R(t) + D(t)}{\mu F} \tag{14}$$

式中：H_0、H_e——含水层的初期和末期水位。

求出的末期水位与实测水位对比，当这两个水位相同或接近时，则认为所选定的参数是比较合理的。8 个县 24 个年次计算结果为：计算水位埋深与实测水位埋深相比，误差小于 ± 0.10m 有 8 年次；$\pm 0.10 \sim \pm 0.20$m 有 8 年次；$\pm 0.20 \sim \pm 0.30$m 有 5 年次；$\pm 0.30 \sim \pm 0.40$m 有 2 年次；$\pm 0.40 \sim \pm 0.50$m 有 1 年次。三个时段的水位绝对误差：1975 年 1 月 1 日至 1976 年 1 月 1 日为 0.11m，1976 年 1 月 1 日至 1977 年 1 月 26 日为 0.16m，1977 年 1 月 26 日至 1977 年 12 月 26 日为 0.24m。说明区域地下水资源评价所选定的各项参数是合理的。

三、浅层地下水资源计算与评价

(一)评价原则

1.均衡区划分

为便于计算和应用,根据区域水文地质条件,以县为单位进行补给量、排泄量的多年均衡计算与评价。此外,还以长观井为节点剖分出 363 个三角形,进行水均衡计算,求得年内与多年平均水位。

2.合理控制地下水水位的原则

(1)可开采利用更多的浅层地下水资源。商丘地区,水位埋深 3～4m 与 1～2m 的降水入渗系数基本上一致;然而水位埋深 3～4m 的浅层地下水蒸发量要比 1～2m 的要小很多。因此,水位控制在 3～4m 可以减小蒸发量。

(2)要有利于防盐碱,防渍涝。设计商丘地区合理静水位埋深汛期为 3m。接受降水入渗补给时的起始水位埋深以 4～6m 为佳。这样,有利于腾出库容接受降水和地表水的垂向补给,既有利于改良和防治土壤盐碱化,又有利于分洪减轻渍涝程度。

(3)能充分发挥现有 5 万多套以离心泵为主提水工具的功效。

浅层地下水的底板埋深在 40m 左右。

3.水质要求

外地和本地的试验资料和农田灌溉实践都表明:矿化度 2～3g/L 和 3～5g/L 的微咸水和半咸水基本可以改造利用,故作为可开采利用的水资源计算,矿化度大于 5g/L 的咸水改造利用尚有困难,故作为不能开采利用的咸水资源。

根据农灌开采地下水具有分散性、季节性的特点,浅层水在汛期降水集中补给并有较大的储存量。所以干旱季节可以进行疏干开采,但允许水位降应符合以下要求:

(1)可以取出的那部分水量,能满足干旱季节的连续开采,且抽水井中动水位不应超过设计要求。

(2)在补给期(年或多年为周期)可使被疏干的那部分水量得到补充,否则地下水位就要持续下降。

(二)浅层地下水资源计算

1.多年均衡计算

根据地下水每年的实际补给量和排泄量,进行开采条件下浅层地下水的多年调节计算。其基本思想是:根据气候的变化具有周期性的特点,合理地控制地下水位,选取较长的水文气象周期(包括连续丰水年和连续干旱年)进行水均衡计算。因为综合补给量和综合排泄量的均衡结果最终反映在地下水位上,当有了起始水位埋深时(商丘地区定为3m),既能够得到某一水利化程度下的多年地下水位动态变化,又能够清楚地刻画出当遇到干旱年或连续出现干旱年时的最大地下水位埋深值。可以校验现有提水工具能否继续发挥作用或为设计合理的提水工具提供依据。

1)补给量计算

降水入渗补给地下水量 Q_a 的计算公式是式(5)、式(6)及:

$$Q_a = \sum_{i=1}^{n}(\Delta h_i \mu_i F_i) \tag{15}$$

(1)水位上升高度 Δh 的确定。从 $2\sim 4m$ 和 $4\sim 6m P—\Delta h$ 相关图上,依据 $1951\sim 1979$ 年的降水量,可分别查得不同年份不同岩性的包气带的水位上升高度 Δh(m),即可计算目前水位埋深和合理地控制水位埋深下的 Q_a。

(2)计算结果。按目前水位埋深,用式(6)计算全区 Q_a 值为 13.348 4 亿 m^3/a;目前水位埋深,用式(15)计算全区 Q_a 值为 13.135 3 亿 m^3/a;今后在合理的水位埋深条件下,用式(15)计算全区 Q_a 值为 11.702 6 亿 m^3/a。

(3)灌溉回渗补给地下水量。用每年的井灌水量乘灌溉回渗系数再乘砂性土占总面积的百分数。年灌溉回渗补给地下水量为 0.525 4 亿 m^3。

(4)河渠入渗补给地下水量。可根据拦河闸蓄水,河水水位上升形成对浅层地下水的补给,其补给量用如下公式计算:

$$V_0 = \sum_{i=0}^{m}(v_i - v_{i-1})(t - t_i)\mu_2 \sqrt{a_2} \cdot \frac{4}{3}\sqrt{\frac{\eta(t - t_i)}{\pi}} \tag{16}$$

式中:V_0——单宽补给量;

m——水位变动次数;

v_i——每次变动的水位上升速度;

t_i——时间;

μ_2 和 a_2——"二元结构"含水系统弱含水层的给水度和水位传导系数;

$\eta = \dfrac{\mu_1 + \mu_2}{\mu_2}$;

μ_1——含水层的给水度。

也可根据水量均衡方程式(1)来确定拦河闸蓄水后对地下水的补给量。

用上述两种方法计算拦河闸蓄水 1976 年 5 月至 1977 年 5 月补给地下水的总量分别是 0.177 4 亿 m^3 和 0.235 0 亿 m^3。

将年的各项补给量相加,得到年的总补给量。总补给量为 12.897 5 亿 m^3/a。

2)排泄量计算

浅层地下水资源评价,是在合理控制地下水位的条件下进行的,所以可将蒸发量的消耗不予考虑,侧向径流量近似于零,所以排泄量就是农灌需水量、饮用水量和工业用水量之总和,即人工开采量作为排泄量。

(1)农灌需水量的确定。农灌需水量,即各种作物农灌需水量的总和。各种作物农灌需水量等于灌水定额、灌水次数和播种面积的乘积。商丘地区各种农作物灌水定额及灌水次数见表3。除表中作物外,其他作物每公顷年灌水按 $750m^3$ 计算。

表 3			各种农作物灌水定额与灌水次数					
作物	小麦	夏杂粮	油菜	棉花	夏玉米	夏高粱	豆类	夏红薯
灌水次数（次）	6	3	3	2	2	2	2	1
灌水定额（m^3/hm^2）	600	600	600	600	750	750	600	600

每年实际灌水次数为计划灌水次数减去作物生长期降水满足的灌水次数。若作物灌溉期每次降水达 40～45mm 时（相当于每公顷灌水 400～450m^3），就可满足农灌需水。对照各县 1951～1979 年降水资料分析计算，求得各县 29 年平均降水满足灌溉而减少的地下水开采量全区达 3 亿 m^3。

（2）饮用水量按 7.3m^3/（人·a）计算。

（3）工业用水商丘为 1 500 万 m^3/a，县城为 300 万 m^3/a。

全地区总需水量为 15.297 8 亿 m^3/a，这也就是总排泄量。

3）多年均衡调节计算

多年均衡调节计算，是按年的顺序逐一对浅层地下水进行连续调节演算。分别求得以县为单位的平均值和以长观井为节点的多年均衡下的地下水位变化。其方法是：以一年为一个计算时段，逐年进行均衡计算。起始水位埋深 3m，通过计算，若多年均衡的地下水位埋深小于 3m，则认为地下水大部分水量将消耗于蒸发和沟渠排水，难以开发利用，故下一年均衡计算的起始水位埋深仍以 3m 起算。由起始水位开始往下逐年计算，起始水位埋深加上本年末水位上升值（取负号）或水位下降值（取正号），即为该年末的地下水位埋深。一直计算到最后一年为止，这就是多年补给和消耗均衡下的地下水位埋深。由于该区年内灌溉用水与补给水量在时间上往往是不一致的，为满足年内灌溉用水要求，还应该有年调节的地下水库容（即补给水量或用水量的最小值除以给水度）。合理控制地下水，水位埋深加上年内调节用水要求的水位变幅，即为多年调节要求的地下水位埋深。以商丘县为例，说明水利化程度为 65％ 时的年均衡计算成果，见表 4。

根据多年均衡计算成果，即可绘制各县不同水利化程度下多年调节库容图。

计算水利化程度 65％，浅层水水位最大埋深将达到 6.25m。在水文周期 29 年内，遇丰水年份地下水位埋深又可回升到 3～4m，说明用水量可以保证。同样可求得，水利化程度 70％ 时的地下水位总埋深为 6.68m，75％ 时浅层水位最大埋深 8.47m，80％ 时为 12.68m。所以认为商丘县（市）在水利化程度为 65％ 时，地下水位最大埋深在 5m 左右，多年均衡地下水位埋深（即正常高水位埋深）一般为 3～4m 是较优的。

同时还进行了其他 7 个县的不同水利化程度下的年均衡和多年均衡计算，计算出不同水利化程度下各县在多年均衡调节时的地下水位最大埋深。

2．多年均衡法和有限单元法相结合的计算

多年均衡法主要考虑垂直交替，而不考虑水平方向上各点之间的水力联系，所以在局部开采强烈地区计算的水位就会失真。为此，把多年均衡法和有限单元法结合使用，得到各节点年际间水位埋深变化过程和不同埋深区的分布面积，取得较好效果。

表4 商丘县多年均衡(水利化程度65%)计算

| 年份 | 补给量(m) | 用水量(m) | 补给量与用水量差值(m) | | 地下水位变化(m) | | 多年均衡下地下水位埋深(m) | 年用水要求的地下水位变幅 ΔH(m) | 多年调节和年调节要求的地下水位总埋深(m) |
			+	−	上升	下降			
(1)	(2)	(3)	(4)	(5)	(6)	(7)	(8)	(9)	(10)
1951	0.141 3	0.116 5	0.024 8		0.504 1		3.000 0	2.367 9	5.367 9
1952	0.112 7	0.128 8		0.016 1		0.327 2	3.327 2	2.290 7	5.617 9
1953	0.123 5	0.108 1	0.015 4		0.313 0		3.014 2	2.197 2	5.211 4
1954	0.142 9	0.108 1	0.034 8		0.707 3		3.000 0	2.197 2	5.197 2
1955	0.070 1	0.116 5		0.046 4		0.943 1	3.943 1	1.424 8	5.367 9
1956	0.114 1	0.113 9	0.000 2		0.004 1		3.939 0	2.315 0	6.254 0
1957	0.212 5	0.111 1	0.101 4		2.061 0		3.000 0	2.258 1	5.258 1
1958	0.146 3	0.116 5	0.029 8		0.605 7		3.000 0	2.367 9	5.367 9
1959	0.116 7	0.118 0		0.001 3		0.026 4	3.026 4	2.372 0	5.398 4
1960	0.138 8	0.116 5	0.022 3		0.453 2		3.000 0	2.367 9	5.367 9
1961	0.089 3	0.112 1		0.022 8		0.463 4	3.463 4	1.815 0	5.278 4
1962	0.140 2	0.101 7	0.038 5		0.782 5		3.000 0	2.067 1	5.067 1
1963	0.167 8	0.106 2	0.061 6		1.252 0		3.000 0	2.158 5	5.158 5
1964	0.189 9	0.105 2	0.084 7		1.721 5		3.000 0	2.138 2	5.138 2
1965	0.151 4	0.116 5	0.034 9		0.709 3		3.000 0	2.367 9	5.367 9
1966	0.051 5	0.129 7		0.078 2		1.589 4	4.589 4	1.046 7	5.636 1
1967	0.168 1	0.067 0	0.101 1		2.054 9		3.000 0	1.361 8	4.361 8
1968	0.088 7	0.122 3		0.033 6		0.682 9	3.682 9	1.802 8	5.485 7
1969	0.140 3	0.102 4	0.037 9		0.770 3		3.000 0	2.081 3	5.081 3
1970	0.122 4	0.126 9		0.004 5		0.091 5	3.091 5	2.487 8	5.579 3
1971	0.120 5	0.100 4	0.020 1		0.408 5		3.000 0	2.040 7	5.040 7
1972	0.141 0	0.110 8	0.030 2		0.613 8		3.000 0	2.252 0	5.252 0
1973	0.116 7	0.116 5	0.000 2		0.004 1		3.000 0	1.321 1	4.321 1
1974	0.138 9	0.116 5	0.022 4		0.455 3		3.000 0	2.367 9	5.367 9
1975	0.107 2	0.121 2		0.014 0		0.284 6	3.284 6	2.178 9	5.463 5
1976	0.147 0	0.126 9	0.020 1		0.408 5		3.000 0	2.579 3	5.579 3
1977	0.136 4	0.116 5	0.019 9		0.404 5		3.000 0	2.367 9	5.367 9
1978	0.104 2	0.115 2		0.011 0		0.223 6	3.223 6	2.117 9	5.341 5
1979	0.187 7	0.073 3	0.114 4		2.325 2		3.000 0	1.489 8	4.489 8

注:1. 县加权平均 $\mu = 0.049\ 2$;

2. (4)或(5)除以 μ =(6)或(7);

3. 多年均衡起始地下水位埋深为3.0m;

4. (10)=(8)+(9)。

1)数学模型

(1)有限单元法的微分方程为：

$$T\frac{\partial^2 h}{\partial x^2} + T\frac{\partial^2 h}{\partial y^2} + \varepsilon_1 - \varepsilon_2 = \mu\frac{\partial h}{\partial t} \qquad (17)$$

式中：ε_1——降水入渗为主的综合补给强度，m/d；

　　ε_2——开采强度，m/d。

初始水位埋深 3m，周边作隔水边界处理。

(2)多年均衡法的均衡方程为：

$$\varepsilon/\mu + \overline{h}_0 = h_0 \qquad (18)$$

式中：ε——当补给量大于消耗量时代表消耗量，否则代表补给量，m/a；

　　ε/μ——年均衡下的地下水位埋深，m；

　　$\overline{h}_0$——多年均衡条件下的地下水位埋深，m；

　　h_0——地下水位的计算埋深，m。

2)具体问题的处理

(1)剖分。参与计算面积 9 821km²。以长观井为节点剖分三角形共 363 个。内节点和第二类边界节点共 218 个。

(2)参数。T 值在大部分地区取 $200\sim270$m²/d，个别地区为 50m²/d 或 $99\sim156$ m²/d；μ 值为 $0.07\sim0.04$。

(3)补给量与排泄量。补给量用 $1951\sim1979$ 年降水量，在水位埋深 $4\sim6$m $\sum P$ 一 $\sum\Delta h$ 相关图上查得 Δh，作为补给量的原始数据，在计算机运算时自行换算成补给量。每县不同年份单位面积上(m²)的年用水量为排泄量的原始数据。

(4)源程序按 TQ－16 机算法语言编写形式写成。计算过程如图 8 所示。

3)计算结果

按水利化程度的 65%、70% 和 75% 的情况，分别计算了地下水水位的变化过程，结果获得了不同用水量时地下水水位年际变化水位埋深变化区间及其分布范围。表 5 列出虞城县水利化程度 70% 情况下不同节点地下水位埋深对比表。计算结果表明，水位埋深的变化直接受补给和排泄的水量控制，多年均衡条件下不同水位的埋深变化区间及分布范围与本区的水文地质条件基本符合。

从表 5 中可以看出，当 μ 值相同而 T 值不同时，如节点 143 号和 135 号，计算的水位比较接近，而 T 值相同 μ 值不同的时候，如 142 号和 143 号、135 号和 139 号，计算出的水位埋深相差很大。这说明节点的水位埋深的变化主要是受 μ 值控制，在水力坡度比较小的平原地区，μ 为敏感性强的参数。

多年均衡法和有限单元法结合起来使用的优点，在于可利用长系列的降水资料，设计多种用水方案加以比较，既考虑垂直交替作用，也考虑开采条件下的水平径流，因而计算结果是比较合理的。

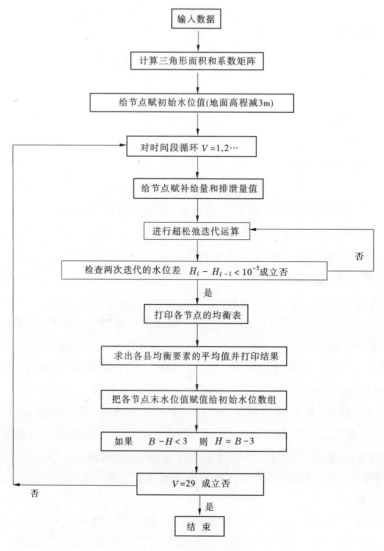

图8 计算程序框图

(三)浅层地下水资源评价

在合理控制地下水位条件下,计算出多年平均矿化度小于2g/L淡水资源11.231 1亿m³/a;矿化度2~3g/L微咸水资源0.218 2亿m³/a;矿化度3~5g/L半咸水资源0.253 3亿m³/a;矿化度大于5g/L咸水资源0.02亿m³/a。以上地下水资源总和为11.722 6亿m³/a,淡水资源占资源总和的95.81%,适宜农田灌溉。利用矿化度2~3g/L和3~5g/L的地下水灌溉,只要方法合理,控制灌溉次数,可以获得增产效果。但不合理的灌溉(特别是矿化度3~5g/L的水)会导致作物生长不良及土壤次生盐碱化的产生和现有盐碱地的加重。随着浅层水的开采利用,加速垂直和水平交替有利于接受降水的补给,使矿化度2~5g/L的地下水会向淡化方向发展。商丘浅层水资源评价将矿化度小于5g/L的地下水作为可以开采利用的资源;矿化度大于5g/L的咸水,目前改造利用有困难,作为不能开采利用的咸水资源。

表5 虞城县不同节点地下水位埋深对比(水利化程度70%) (单位:m)

计算时段	节点143号 $T=156(\text{m}^2/\text{d})$ $\mu=0.050$	节点135号 $T=50(\text{m}^2/\text{d})$ $\mu=0.050$	节点142号 $T=156(\text{m}^2/\text{d})$ $\mu=0.044$	节点139号 $T=50(\text{m}^2/\text{d})$ $\mu=0.044$
1	3.00	3.00	3.68	3.97
2	3.12	3.23	4.99	5.59
3	3.00	3.00	5.30	6.39
4	3.00	3.28	5.52	6.83
5	3.03	3.13	5.04	7.81
6	3.00	3.00	5.57	7.75
7	3.00	3.00	3.83	6.45
8	3.00	3.00	3.76	6.46
9	3.00	3.07	4.48	7.24
10	3.00	3.00	4.77	7.73
11	3.00	3.16	5.23	8.35
12	3.00	3.00	4.64	8.01
13	3.00	3.00	3.66	7.14
14	3.00	3.00	3.55	7.04
15	3.00	3.00	4.07	7.65
16	3.00	3.00	4.42	8.25
17	3.00	3.00	3.50	7.33
18	3.65	3.96	5.22	8.92
19	3.00	3.11	4.92	8.72
20	3.20	3.53	5.81	9.72

计算目前水位条件下,年综合补给量为14.06亿 m^3,年平均蒸发量5.24亿 m^3,不能利用的咸水0.02亿 m^3,每年可开采利用8.80亿 m^3,可维持补给和排泄的动平衡。当地下水位降到合理的控制水位埋深时,就可使每年消耗于蒸发的5亿 m^3 左右的水资源转化为可以开采利用的水资源。全区多年平均综合补给量每年12.89亿 m^3。商丘、虞城、夏邑县浅层水补给量可满足水利化程度的65%;民权、睢县、宁陵、虞城、永城5县可满足70%。这时,地下水位最大埋深一般在5m左右,多年均衡下的地下水位埋深一般可回升到3m。各县平均每公顷耕地可利用浅层水量为1 890~2 170 m^3,全区平均为2 006 m^3/hm^2,见表6。

根据上述开采地下水量,用多年均衡法和有限单元法结合进行地下水位预测,有面积1 328.80 km^2(占总面积的12.84%)多年平均水位最大埋深为4~5m,有6 704 km^2 面积(占总面积的64.76%)为5~6m,有1 518.33 km^2 面积(占总面积的14.67%)为6~7m,有800.67 km^2 面积(占总面积的7.73%)多年平均水位总埋深大于7m。在水位最大埋深小于7m的地区抽水时,现有离心泵提水工具下卧尚能继续使用。大于7m区和古黄河大堤北高滩地大于6m区,约有1 100km²,要更换现有离心泵为主的提水工具,以配简易深井泵为宜。

表6　　　　　　　　　　商丘地、县多年平均每公顷耕地可用浅层水量

地、县	面积 (km²)	耕地 (hm²)	耕地/总面积(%)	复种指数	降水入渗补给量(万 m³)	灌溉回渗补给量(万 m³)	河渠入渗补给量(万 m³)	补给总量(万 m³)	补给高度(m)	单位面积可用浅层水量[m³/(hm²·a)]
民权县	1 140	68 834	60.38	1.50	12 562.80	695.40		13 258.20	0.116 3	1 926
睢县	924	57 915	62.68	1.59	9 258.48	406.56	2 910.60	12 575.64	0.136 1	2 171
宁陵县	785.5	46 642	59.38	1.47	9 308.18	471.30		9 779.48	0.124 5	2 097
柘城县	1 055	72 070	68.31	1.63	11 773.80	664.65	1 856.80	14 295.25	0.135 5	1 983
商丘县(市)	1 592.5	104 992	65.93	1.53	18 043.02	1 051.05	1 926.93	21 021.00	0.132 0	2 002
虞城县	1 538	95 194	61.89	1.43	18 825.12	892.04		19 717.16	0.128 2	2 071
夏邑县	1 460	87 504	59.93	1.60	15 899.40	627.80		16 527.20	0.113 2	1 889
永城县	1 857	109 800	59.13	1.41	21 355.50	445.68		21 801.18	0.117 4	1 986
全地区	10 352	642 952	62.11	1.52	117 026.30	5 254.48	6 694.33	128 975.11	0.125 4	2 006

四、浅层地下水资源的开发利用

农田供水水文地质勘察的主要目的,就是要查明水文地质条件和进行地下水资源评价,为合理开采利用地下水资源,综合防治旱涝碱,扩大农田灌溉面积提供开发方案并进行科学论证。

(一)开发利用条件及分区

浅层地下水资源评价的目的是提出开采方案,合理地去开发利用。因此,只提供地下水资源数量是不够的,还需提出如何开发利用。浅层地下水的开采利用,应从单位时间、单位面积的垂向补给量的多少,地下水储存条件和含水层释水能力的好坏,导水性能的强弱,以及水质如何等几个方面来考虑,进行浅层地下水资源分区的研究,划分出良好区、中等区和较差区。据商丘地区的情况,良好区:开采资源模数大于 10 万 $m^3/(km^2·a)$,T 大于 $100m^2/d$,μ 大于 0.05,矿化度小于 2g/L;较差区:开采资源模数小于 8 万 $m^3/(km^2·a)$,T 为 $50m^2/d$ 左右,μ 一般为 0.04,矿化度大于 5g/L;比良好区的条件差一些,但又比较差区的好一些,则为中等区。

(二)浅层地下水开采利用的建议

在浅层地下水资源分区研究的基础上,考虑地形地貌、水位埋深、现有机井密度、盐碱渍涝的程度,地表水利用现状及近期规划等诸方面因素,将商丘地区分为:增打新井加强开采区,配套挖潜合理开采区,改革井型增大水量区,井渠结合控制水位区,更新水泵注意补源区,用改结合科学灌溉区,抽咸补淡改造咸水区。对各区浅层地下水开发利用的建议是:

在增打机井加强开采区,机井密度由现在的每 100hm² 地不足 9 眼,增加到 12 眼,井距在 400m 左右,井深在 40m 左右。

在配套挖潜合理开采区,现有机井密度已大于每 100hm² 地 12 眼,一般不宜增打新井,重点应是清除淤积,旧井改造,机泵改换,渠道防渗等项管理,挖掘潜力,提高单井出水量,扩大单井灌溉效益。

在改革井型增大水量区,现有打井密度不足每 100hm² 地 9 眼,但地下水开采模数远小于补给模数,含水砂层不发育,导水性差。要增打新井,采用新的井型结构,改造旧井,以便增大导水性能和单井出水量。

在井渠结合控制水位区,目前机井密度不足每 100hm² 地 6 眼,但地表水资源保证程度较高。应注意避免废井兴渠,要增打部分浅井,实行井渠结合,合理控制地下水位,防治土壤次生盐碱化和渍涝灾害。渠灌补井灌之不足,可增加对地下水的补给。

在更新水泵注意补源区,地下水的补给量少,补给模数小于 8 万 m³/(km²·a),按高标准要求开采地下水,将会出现地下水的排泄量大于补给量,计算多年均衡的水位埋深将大于 7m,离心泵抽水将要吊泵。应改用吸程 20m 左右的简易深井泵或深井泵;应采取井渠结合,注意采补结合。

在用改结合科学灌溉区。地下水矿化度 3～5g/L,不合理地灌溉会导致作物的生长不良及次生盐碱化的产生或加剧。用矿化度 3～5g/L 的水灌溉,要合理控制浇灌次数是可以获得增产效果的,经常抽排咸水,可降低地下水位,逐步使咸水淡化。

在抽咸补淡改造咸水区,地下水矿化度大于 5g/L,应避免利用直接灌溉,采取用井抽出咸水,补充淡水,以淡化浅层咸水,降低地下水位,对防治土壤盐碱化有利。

(本文原选编于曲焕林主编的《中国干旱半干旱地区地下水资源评价》,科学出版社 1991 年出版)

黄淮海平原水资源开发利用大有潜力

历史上,黄淮海平原旱涝盐碱相随,长期影响农业的发展。旱和涝、积盐和脱盐、咸和淡,它们之间相互对立,又统一于一个"水"字上。要加快农业发展步伐,必须首先从"水"字着眼,综合治理旱涝盐碱,而水资源状况如何,又是综合治理的基础。黄淮海平原水资源状况究竟如何?看法很不一致。我认为黄淮海平原水资源是比较丰富的,开发利用的潜力很大。可从以下几个方面说明。

一、浅层淡水资源丰富,开发利用大有潜力

地质部水文地质局 1979 年组织七省水文地质队,计算浅层水位埋深 4m 时,黄淮海平原平均每年可开发利用的浅层淡水资源有 476 亿 m^3,其中黄河北有 200 亿 m^3。而目前,由于不少地区水位较浅,每年有 200 多亿立方米的地下水资源白白地消耗于蒸发。大量观测和试验资料证实,当水位埋深 4m 左右时,浅层水可停止蒸发或蒸发量相当微弱。所以,可通过开采,将地下水位降到 4m 左右,就可基本夺回这部分蒸发量。这个量大约相当于黄淮海平原目前 200 多亿立方米的地下水总开采量。由此可看出,控制最优水位,夺取地下水蒸发量,是当前水利配套挖潜的重要方面。

二、加强人工调蓄,增加对地下水的补给

降水是黄淮海平原水资源的总来源。黄河海平原本身就是一个以垂直调节为主的"地下水库"。在开采腾库的前提下,配合一定的水利工程,将降水和地表水尽可能多地蓄积于地表库容、土壤库容和地下库容,减少其出流,这是该地区水资源开源的主要途径。

(1)目前黄淮海平原降雨补给地下水的量占年降水总量的 20%～25%,每年每平方公里约有 15 万 m^3 的降水转化为地下水。而在利用河渠、坑塘等蓄水后,不少地区每年每平方公里的降水补给量已增加到 20 万 m^3 以上。山东省桓台县,面积 516km^2,利用沟渠、坑塘引渗回灌,使河道径流和区内地表径流基本不出境,降雨补给地下水量可占年降雨量的 50% 以上。1976～1978 年,平均每年每平方公里的地下水开采量高达 48 万 m^3,地下水位仍保持平衡。1978 年全县粮食单产达 6 870kg/hm^2。说明在平原区,通过一定的水利工程,是可以增大降水对地下水补给的。

(2)目前黄淮海平原已有的水资源并未充分利用起来。据 1970～1977 年利津水文站实测,黄河平均每年入海水量达 310 亿 m^3,在非汛期的 10 月至翌年 3 月,入海水量也有 143 亿 m^3。黄淮海平原平均每年有 470 多亿立方米的地表水流入大海。采取拦蓄办法,将部分径流蓄存起来,加以调节利用,是完全可能的。若可拦蓄 30%,则每年夺回入海水量有 140 亿 m^3,黄河北就有 50 多亿立方米。由地质部水文地质局编制的黄淮海地区蓄

水条件图可看出,浅层可调蓄的点有70多个,调蓄量近100亿 m³,黄河北就有67亿 m³。据河北地理所分析,河北平原上的古河道有7 000多平方公里,其中有可能开发为地下水库的有20多处,仅南宫地下水库,在200km²库区内,每年就可调蓄水量1亿 m³以上。

(3)据有关研究资料,1万 hm²森林的蓄水量相当于一座300万 m³的小水库,大面积绿化造林,建设"绿色水库",可以增加降雨和空气湿度,减低风速,涵养水源,拦阻地表径流汇集,加大降水渗入土壤的作用,这也是增辟水资源的一个途径。

三、利用咸水和改造咸水

黄淮海平原浅层咸水分布面积有50 000km²,主要在海河流域东部和豫东平原。矿化度2‰~5‰的咸水资源有54亿 m³,矿化度大于5‰的咸水有37亿 m³,共计91亿 m³,其中黄河北61亿 m³。咸水未能开发,占据地下水库容,不能蓄纳降雨水和地表水,不利于抗旱和防涝,咸水潜伏地下,又是"盐碱地"的祸根。河北、河南等省,已摸索出一些利用咸水的办法。只要灌溉方法对头,次数适当,合理巧用,"害水"就能变成益水,而且土质不会起碱、变坏。一些乡村还用咸水灌溉冲洗盐碱地,土壤脱盐效果明显。抽咸腾库,为蓄存淡水创造了条件,也可使掩埋在地下的古老盐碱土脱盐变淡,起到改造咸水的作用。现在,河北、河南等省一部分咸水区面积已经缩小,一些咸水井变淡了。

四、合理开发深层淡水

黄淮海平原在200~500m深度内,普遍埋藏有深层淡水,还有一定面积的自流水区。深层淡水埋藏深,补给比较困难,资源条件较差。但储藏量大,允许静水位降深可大一些,故也可作为水资源的一部分合理开发利用。

五、充分利用地表水

黄淮海平原区年平均降水量可达600mm以上。北、西、南三面靠山,周围山区面积大,故降水后形成的径流量也大,地表水资源较丰富。全区现在每年已控制利用的地表水总量达300亿 m³左右。其中海河流域约108亿 m³。黄河水利委员会和山东黄河河务局认为,黄河下游近10年,每年有300多亿立方米的水是可以利用的。今后进一步做好开源,把多余的地表径流转化为较稳定的地下水径流,搞好配套管理,提高灌溉水利用系数,全区可利用的地表径流量超过500亿 m³是完全可能的。

六、有效利用土壤水

黄淮海平原每年约有70%的降水转化为土壤水,最终消耗于土面蒸发和叶面蒸发。如果采取措施,可减少20%的土面蒸发,全区就可有200多亿立方米,其中海河流域80多亿立方米。这些土面蒸发水分可供作物生长需要,是一笔很大的水资源。我国劳动人民在生产实践中得出了"锄头上有水"的科学结论。中耕松土,切断土壤中的毛细管,就能减少土面蒸发,当然还有其他办法。西北农学院在渭北旱塬进行试验,深耕 26cm,种冬小麦,依靠天然降雨及保墒措施,在无灌溉情况下,获得连年丰收,1975 年平均产量达 5 250 kg/hm²。本人曾对豫东地区的一些稳产高产典型作过调查,有的乡村粮食单产早已达 7 500kg/hm² 左右,每年只要灌溉四五次水就可以了,并不像有的文章所说"一斤粮食需一千斤水"那么夸张,究其原因,很关键的一条,就是深翻土地,加厚活土层,保墒好,建成了看不见的地下小水库。

七、节约用水和科学用水

黄淮海平原灌区,大部分渠道没有衬砌,输水渗漏损失严重,灌水技术粗放,大水淹灌、漫灌,浪费严重;工业用水循环利用率低;水资源开发利用基本处于无政府状态,而不收水费是造成水资源浪费的一个主要原因。因此,要大力推广节约用水和科学用水,发展畦灌、喷灌、滴灌、渠道防渗、地下管道等,颁布水资源法,实行收水费制。河南省豫北平原的温县,共 25 000 多公顷耕地,全县 80% 以上的耕地铺设了地下管道网,节约用水 30%,保灌面积 20 000 多公顷,成为河南省的稳产高产典型。

综上所述,通过开源,黄淮海平原每年可以开发利用的地下水资源可达 700 亿 m³。每年可利用的地表水总量将超过 500 亿 m³。黄淮海平原本身每年解决 1 200 亿 m³ 的水资源是可能的。再加上充分利用土壤水分、科学用水和节约用水,黄淮海平原农业、工业和城市用水是可以得到满足的。

我认为,在研究制订黄淮海平原水资源的开发利用方案时,首先要考虑能否综合治理旱涝盐碱"四害"。而充分利用本地区的水资源,井灌为主,浅井为主,井渠结合,以调控地下水为中心,建立井、渠、塘、库工程体系,进行排、灌、引、蓄、补的综合调节,是防治黄淮海平原旱涝盐碱的主要途径。不要只看到远距离的调水方案,而更应重视从天上调水,就地调蓄,就地开采利用的方案,因为这个方案比南水北调东线和中线方案,特别比东线方案要经济、优越得多。

(本文原载地质部政策研究室编《地质工作研究》1980 年第 16 期)

合理地下水位的确定与旱涝盐碱的综合治理

　　黄(河)、淮(河)、海(河)平原是我国最大的平原,地跨河北、河南、山东、江苏、安徽五省和北京、天津二市,总面积约 30 万 km²。区内地表水资源不发育,自然地理的最大特征为旱、涝、盐、碱共生,成为该区最突出的生态环境问题。从 20 世纪 50 年代开始,有关部门就对黄淮海平原的治理进行了综合研究。水文地质工作者在查明区域水文地质条件和水资源条件基础上,开展了以井灌井排为基础的综合治理试验,总结出该区综合治理的实质是从旱涝盐碱的总根源——"水"字着眼,充分开发利用水资源,井渠结合,以调控合理地下水位为中心,建立浅井、深渠、坑塘、闸库工程体系,进行排、灌、引、蓄、补的综合调节,以水利改良为主,因地制宜调整农业结构,实行科学种植,达到综合治理、综合发展的目的。本文以黄河冲积平原(河南地区)为例,说明以水利改良为主的综合治理方法是可行的。

一、旱涝盐碱成因的分析

　　旱:水少则旱。每年春夏季节多风少雨,蒸发量大于降水量 7 倍左右。此时正是小麦等作物生长期,故经常出现水资源的供需矛盾。

　　涝:水多、水位过浅则涝。年内及年际间降水变率大。每年 7、8、9 三个月降水集中多暴雨,约占年降水量的 60% 以上。由于地势低平多封闭性洼地,加之还有相当的面积地下水位过浅,包气带蓄水库容小,洪水经常泛滥成灾。

　　盐碱:"盐随水来,盐随水去"。研究区土壤盐碱化成因主要有四个因素:

　　一是气候因素。水面蒸发量大于降水量 2~3 倍。

　　二是包气带岩性因素。以亚砂土为主,毛管水分上升强烈,地下水盐容易上返积聚成土盐。

　　三是地形地貌因素,盐碱地以低洼易涝地为主。

　　四是水运动因素。地表水及地下水径流滞缓,地下水位太浅。

　　以上四因素中前三项是不可变因素,惟第四项是可变因素。可以通过地下水资源的开发利用来改变径流条件和调控合理地下水位。地下水位过浅,是地下水盐转变为土盐的一个决定性条件。降低地下水位至返盐临界深度以下,就能达到根治盐碱土的目的。

　　旱涝盐碱有其内在联系,是同时共存、互为因果、交错为害的。1958 年以来,在河南省黄河冲积平原区大搞引黄灌溉,只灌不排,只蓄不泄,致使地下水位大幅度上升,土壤"库容"极小。60 年代初期,豫东豫北平原盐碱地猛增到 80 万 hm²,易涝面积达 130 多万公顷。相反,若为了防涝治碱,只排不蓄,干旱的危害又会随之突出。因此,必须走旱涝盐碱综合治理的路子。

二、合理地下水位埋深的确定

(一)确定合理地下水位埋深的依据

"合理地下水位"是指地下水位变化的这样一种状态:即在这个水位的控制下,既能避免土壤盐碱化,浅层水蒸发量很小,降雨入渗补给地下水量较大,又有较大的地下库容,汛期可以蓄水,达到增加地下水开采资源,又防治盐碱的综合效果。这个地下水位,即称为"合理地下水位埋深"。其确定依据是:

(1)通过对浅层水运动规律和降水入渗、潜水蒸发机理的研究,说明降水入渗补给地下水系数与蒸发强度,都是随水位深度变化而变化的。因此,有可能寻找一个入渗量(或入渗系数)较大,而蒸发量很小的地下水位埋深值。

(2)研究区浅层水的储存量很大,地下水位具有可调节性,可通过人为控制使其保持在一个合理深度,当水位较浅时,可用人工排泄的方法降低地下水位;当水位较深时,可采用补给地下水或减少开采量的方法抬高地下水位。

(3)该区旱涝盐碱灾害的产生和防治都与浅层地下水有关。水少则旱,水多则涝,水位过浅则易产生盐碱。故可通过调控合理地下水位,收到综合治理旱、涝、盐、碱的效果。

(二)确定合理地下水位埋深的原则

1. 年际间浅层水的正均衡量最大

对于水力梯度很小的平原区,可以开采利用的浅层水资源主要取决于补给资源(W)和浅层水蒸发量(E),可用关系式:

$$Q = W - E \tag{1}$$

式中:Q——单位时间内浅层水的可采水量;

W——单位时间内浅层水的垂向补给量;

E——单位时间内浅层水的蒸发量。

从式(1)可看出,这类地区增加地下水可采资源,一是要使降水(或河渠水)更多地转化为地下水;二是使地下水尽可能多地减少蒸发消耗。为此:

(1)调控的合理地下水位埋深,应该使补给量增大。计算商丘地区不同气候年份长期观测井647个时段的降水入渗补给地下水系数(α)说明,不论包气带岩性为亚砂土还是亚黏土,0~1m水位埋深的α值最小,随着水位埋深的加大α值递增,至水位埋深2~3m时α值最大,然后,随着水位埋深的加大,又出现α值递减。计算资料还表明,1~2m和3~4m水位埋深时的α值基本相同。

据河南省商丘县大吴庄地中渗透仪试验资料,亚砂土岩性不同地下水位埋深时的降水入渗补给地下水量见表1。

由表1可看出,降水入渗补给地下水量在水位埋深2.50m处突然变小后,随着水位埋深的增大并不明显变小,而呈现出一个缓变过程(图1)。这使得我们对地下水位埋深的控制有较大的选择余地。

表1			商丘县大吴庄亚砂土不同水位埋深降水入渗补给量							（单位:mm）
年份	地下水位埋深									
	0.5m	1.0m	1.5m	2.0m	2.5m	3.0m	3.5m	4.0m	4.5m	4.5m
1983					255.66	238.95	136.39	203.22	165.26	153.6
1984	116.36	428.43	442.47	444.59	311.27	312.83	243.08	255.99	239.92	239.36

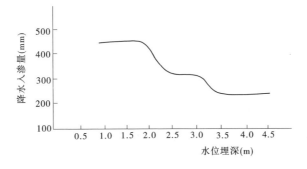

图1　商丘县大吴庄亚砂土不同水位埋深降水入渗量曲线(1984年)

(2)调控好合理地下水位埋深,应该使蒸发量明显减弱。对某些蒸发模型的研究表明,随着地下水位由浅变深,浅层水蒸发量随之减弱。而当水位埋深达4m左右时,蒸发量就明显减少。商丘县大吴庄地中渗透仪观测不同水位埋深亚砂土的蒸发量见表2,其蒸发量与水位埋深关系曲线见图2。封丘县地中渗透仪也取得了同样的试验结果(图3)。

表2			商丘县大吴庄地中渗透仪测潜水蒸发量							（单位:mm）
年份	地下水位埋深									
	0.5m	1.0m	1.5m	2.0m	2.5m	3.0m	3.5m	4.0m	4.5m	4.5m
1983					79.15	31.41	10.29	7.54	9.82	14.8
1984	1 480.14	742.82	319.78	179.48	46.92	27.03	9.53	4.56	8.99	10.12

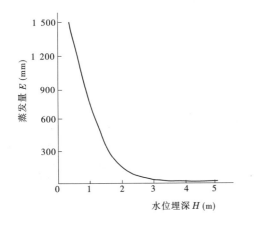

图2　商丘县大吴庄地中渗透仪
E—H 关系曲线

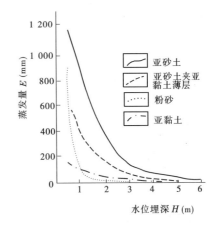

图3　封丘县均衡试验场潜水蒸发量
E 和地下水位埋深 H 关系图

我们在商丘县大吴庄试验区,布置有限差分观测孔(组),采用实测潜水水位及参数资料,求得各年的潜水蒸发量(见表3)。

表3 商丘县大吴庄潜水蒸发量

年 份	1977	1978	1979	1980	1981	1982	1983
年平均水位埋深(m)	4.0	4.3	3.8	3.5	4.1	4.2	4.4
潜水蒸发量(mm)	7.38	4.43	22.3	17.78	7.92	6.41	3.45

由上述可知,浅层水位埋深4m左右时的正均衡模数(即补给资源及可采资源)最大。

2.有利于防治涝碱灾害

有了合理的地下水位埋深,就有了一定的地下土壤"库容",蓄水能力增大,有利于贮存降水为主的入渗补给,改良和防治土壤盐碱化,有利于分洪减轻涝灾。

3.有利于加速地下水运动,改造咸水

通过井灌井排,加速地下水交替,改变地下水和土盐的原始分布状态,抽咸补淡,形成土及水的"淡化漏斗",使淡水面积不断扩大,微咸水面积缩小,最终达到改造咸水之目的。

4.有利于发挥现有抽水机具作用

为有利于充分发挥现有几百万套以离心泵(吸程小于7m)为主的提水工具的功效,维持地下水资源长期而稳定的开采,亦需合理的地下水位。

另外,研究区闻名中外的泡桐树适宜生长的条件之一,也就是水位埋深宜大于3m。

从以上几个方面分析论证可看出,研究区浅层水的合理地下水位埋深以汛前5m左右,汛后3m左右为最佳。

三、合理地下水位埋深调控的典型实例

(一)商丘县大吴庄试验区

1.综合治理前的情况

该区总耕地320hm² 中,大于60%的面积为花碱地,另有碱荒地30多公顷。安庄村南和邵庙东南10cm内土层全盐量高达0.13～1.82g/100g 土。1965 年5月地下水位埋深0.31～1.6m,由于地下水位浅,水平排水不畅,常年受涝面积60多公顷。旱、涝、碱相互危害,当时全区粮食产量只有16.5 万 kg,单产低于750kg/hm²,棉花每公顷产量只有100多公斤。

2.综合治理措施

多年来,该区实行了井灌井排和科学种田相结合的综合治理措施。共打机井(深度40m左右)52眼,井灌井排能力增强,每年抽取地下水40万 m³ 左右;挖了一条横穿试区宽7m、深3m、长达6km的除涝干沟;其他还有深耕和建立以绿肥为主的用地养地相结合的耕作制度。

3.综合治理的效果

(1)旱涝盐碱灾害基本克服。旱涝保收农田面积达 200hm² 以上,200cm 以内土层含盐量一般均小于 0.1g/100g 土。$(Na^+ + K^+) < 0.02g/100g$ 土。治理后全区粮食总产量可达 115 万～120 万 kg,粮食单产 6 000kg/hm² 以上,棉田单产 750kg/hm² 左右。还建成了 26.7hm² 的苹果园。粮棉油自给有余,为国家做出了贡献。

(2)调控合理地下水位。我们从 1977 年开始,在该区进行典型均衡观测试验。观测资料充分说明该区浅层水位埋深是适宜而合理的(图 4)。

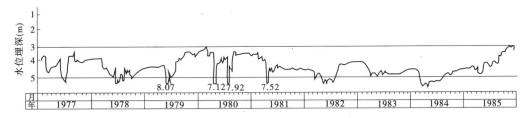

图 4 大吴庄均衡区 20 号井 1977～1985 年动态曲线

由图 4 可看出,年初开始,由于小麦等作物需水灌溉,地下水位下降,至 6 月静水位埋深一般达 5m 左右。经 7、8、9 月汛期降水集中补给,地下水位上升,一般静水位埋深达 3～4m 左右。1979 年降水量达 1 130.90mm,仅 7、8、9 月三个月降水量高达 788.30mm,商丘地区有 13 万 hm² 农田受涝灾。大吴庄试区汛后水位埋深仍大于 2.50m。由于集中降水很快渗入地下,故而汛后土壤含水量适宜,及时播种了小麦,充分显示出浅层地下水库具有良好的调节作用。地下水位埋深合理,该区全部使用离心水泵抽水。

(3)由于加强了水交替作用,使地下水水质向好的方向转化。据 1977 年以来水质监测资料,HCO_3^- 含量有所增加,Mg^{2+} 含量有下降趋势。

(4)提高了土壤肥力,增加了土壤有机质。

(二)太康县杨庙旱涝盐碱综合治理区

1.综合治理前的情况

试区面积 23km²,耕地 1 547.1hm²。1957～1963 年,推行"以蓄为主"的治水方针,大搞引黄灌溉,使地下水位明显上升,盐碱地面积由 1957 年的 595.5hm² 上升到 826.7hm²,粮食单产由 1956 年的 998kg/hm² 下降到 614kg/hm²。1964 年后由于贯彻了以排为主的治水方针,洪涝盐碱灾害程度有所减轻。1975～1978 年,在河道上盲目建闸蓄水,不合理地引黄河水灌溉,又一次打乱了排水系统,汛后地下水位深埋在 0.4～1.3m 之间,1979 年涝灾面积达 1 200hm²,盐碱地面积由 1975 年的 600hm² 增加到 693hm²。从 1957～1979 年的 23 年间,发生涝灾 19 次,年平均涝灾面积 633hm²。1965～1979 年间,粮食平均单产 2 752kg/hm²,棉花产量 340kg/hm²。

2.主要治理措施

1979 年年底,列为河南省水利厅旱涝盐碱综合治理试区之一,开展以浅沟除涝防渍、深沟排盐治碱,发展机井灌溉为主要内容的农林水相结合的旱涝盐碱综合治理的研究。

1)水利措施

(1)明沟排水。到1981年,明排工程基本完成,共挖支、斗、农沟78条,长7 225km,建桥涵216座。明排系统排水能力达到3日降雨150mm不成灾,汛后两个月将地下水位埋深降至1.8m以下,雨后3~5将地下水位埋深降至0.5m以下,使作物不受渍。

(2)积极发展井灌。以井保丰,以灌代排,为了与深沟结合控制地下水位,积极发展井灌,施工20~40m深度的机井114眼,采用井灌沟排形式,提高除涝治碱能力。

2)农林措施

为巩固水利改良措施的成果,改善试区土壤瘠薄等不良状况,1981年以来,在水利改良的同时,采取了以下农林措施:

(1)合理调整农业结构,扩大棉花种植面积。棉田由1980年前占耕地面积的8.4%,扩大到1984年占耕地面积的36%,棉花既具耐盐、耐旱、耐涝等特点,又增加了农民的经济收入。

(2)增施肥料,培肥土壤。以田青为主的绿肥面积从无发展到153hm^2,有机肥和化肥施量也显著增加。

(3)推广先进技术,引进优良品种,平整深耕土地,加强田间管理。机耕面积由1980年前的240hm^{2}扩大到1 267hm^2,耕地深度增加到25~30cm。

(4)植树造林,扩大农林间作面积500hm^2。

3.治理效果分析

1)健全排水系统,涝渍灾害减轻

治理前1979年7~8月份降雨量464mm,最大3日降雨量106.5mm,涝灾面积达1 200hm^2。1981年7月15日降雨146.9mm,3日最大降雨155.1mm,由于地表水迅速排走,地下水位埋深仍控制在2.5m以下,雨前水位埋深3.0m,作物未受危害。而试区南部的庞楼、小河村,无排水出路,雨后大面积积水深度0.3~0.7m,汛后地下水位长时间过浅,作物受涝面积247hm^2,占耕地的90%,小麦晚播10~20天。1982年7~8月降雨572.2mm,3日最大降雨171.6mm;1984年7~9月降雨777.9mm,3日最大降雨156.2mm;1985年11月底前累计降雨量1 150mm,3日最大降雨128.2mm,除在局部河洼地有100~200hm^{2}地多涝灾外,试区无地表积水,汛后地下水位埋深迅速下降到1.5m左右。

2)土壤盐碱化程度减轻,盐碱地面积缩小

1980年以来,地下水位年变幅达1.5~2.5m,春季返盐期水位埋深3~4m,汛期地下水位埋深多在2.0~2.5m(图5)。1980年7月,0~20cm土壤含盐量为0.22~0.54 g/100g土,综合治理后,土壤盐分降低。1983年7月,0~20cm土壤含盐量为0.089~0.146g/100g土,分别减少57%~77%。1979年12月,试区盐碱地面积693hm^2,占耕地面积的43.5%,其中盐碱荒地312hm^2,重盐碱地347hm^2,轻盐碱地34hm^2;到1983年5月调查,盐碱地面积减少至367hm^2,其中盐碱荒地基本消失,重盐碱地140hm^2,轻盐碱地227hm^2;1984年调查,试区约有盐碱地257hm^2,占耕地面积的16.6%,其中重盐碱地91hm^2,轻盐碱地166hm^2(表4)。

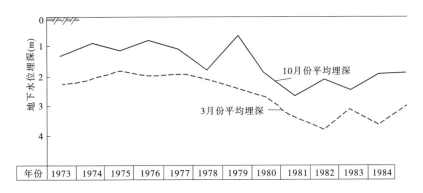

图5　历年平均地下水位埋深图

表4　　　　　　　　　　　　　试区内盐碱地面积变化

项　目		调查日期			1984年比 1979年增减
		1979年12月	1983年5月	1984年4月	
盐荒地	面积(hm²)	312	0	0	−312
	占耕地(%)	20.1	0	0	
重盐碱地	面积(hm²)	347	140	91	−256
	占耕地(%)	22.4	9	5.88	
轻盐碱地	面积(hm²)	34	227	166	+131
	占耕地(%)	2.20	15	10.11	
合计	面积(hm²)	693	367	257	−437
	占耕地(%)	44.8	24	16.6	−28.2

3)粮食增产

1982年和1984年均为丰水年,秋季粮食总产量分别达到170.3万～156.8万kg,为1979年秋粮总产量69.8万kg的2.4倍及2.2倍;棉花总产量分别为13.15万kg及50.6万kg,为1979年总产量3.15万kg的4.2倍及16倍。试区1982年和1984年秋粮平均产量与全乡相比,分别增产706kg/hm²及877.5kg/hm²(秋粮都以大豆为主);试区棉花单产与全乡棉花平均单产相比,分别增产187.5kg/hm²和270kg/hm²。

四、建立农业生态优化环境的水利改良区划

综上所述,豫东豫北平原区实施以水利改良、调控合理地下水位为主的方法,是综合治理旱涝盐碱的行之有效的措施。但水利改良决不等于综合治理的全部。处理不好,治理还有失败的可能。在一些以含盐为主的盐碱区,由于重灌溉、轻施肥,缺乏管理,结果使盐土又转化为碳酸钠型为主的碱土,其危害程度比盐土还重,改良更难。故要因地制宜,采取农、林、水、肥为内容的综合治理措施,才能取得综合治理、全面发展的最佳效果。为

了建立优化生态环境,既充分合理开发利用水资源,又保护水资源,对该区水利改良具体区划如下。

(1)井灌井排区。该区占大部分面积,降水入渗为主补给充沛,渗透储水条件和导水性能良好,水质淡,水位埋深一般2~4m。从综合防治旱涝盐碱以及生态平衡等原则出发,控制合理地下水位埋深,促使无效的潜水蒸发量转化为地下水可采资源,增大水资源的地下调蓄量,是该区浅层水资源开发利用中一个很重要的问题。

(2)井渠结合区。井灌条件好,地表水资源较充足,水位埋深一般在2m左右,实行井渠结合,既满足作物需水要求,又能调控地下水位及土壤水分,避免盐碱涝托,以渠补井之不及,以井消渠之不利。

(3)采补并重区。水位下降埋深较大的漏斗区或补给资源模数小于1.0万$m^3/(km^2 \cdot a)$,应加强人工补给,控制开采,采补结合,调控合理地下水位,改善开采条件和生态环境。

(4)抽咸补淡区。咸水分布区,应实行科学利用和改造咸水相结合。改咸的主要途径是加强地下水的交替作用,抽排咸水与降水入渗或人工引渗淡水补给相结合。

(5)引黄河水灌溉区。分布黄河两侧低洼易涝盐碱区,应实行水利改良和农业改良相结合,主要措施为引黄河水种水稻夺高产。引黄河水应做到有灌有排,可起到以水治碱,以淤改土的作用。

历史上,豫东、豫北平原区是一个落后而贫穷的地方,"冬春白茫茫、夏季晒盐场、秋季水汪汪"、"大雨大灾、小雨小灾、无雨旱灾",就是昔日生态严重失调的写照。如今,由于遵循自然规律,按科学规律办事,合理利用自然资源,水资源条件得到较大的改善,使旱涝盐碱灾害得到较快的治理,已建立起具有较高生产水平的农业生态系统,粮食自给有余,开始为国家做出贡献。生态平衡正向着人们所希望的方向发展。

(本文原选编于孙昌仁主编的《中国环境地质研究》,
科学出版社1988年出版)

合理开发水资源的提案与建议

关于尽快开发郑州北郊花园口一带
丰富地下水资源的再建议

一个城市的发展与水资源的数量多少及质量好坏有直接关系。这个问题在北方干旱、半干旱地区更为重要,郑州市当然也不例外。水直接关系到人们的生存及其活动。世界各国都把水列为本国最重要的资源。随着经济建设的发展,水资源的科学开发利用将成为郑州市迫切需要组织攻关研究的重要课题。

新中国建立35年来,守着黄河的郑州市,水资源的开发利用问题并未很好解决,存在不少问题。主要是领导不够重视,抓得不力,没有制定水资源开发利用的科学规划,各专业部门存在门户偏见,各搞各的。出现了市区地下水老水源地长期超量开采,地下水位大幅度下降,形成了一个面积为160km²、水位深达50余米的下降漏斗区,浅层地下水已不同程度地受到污染。建了邙山引黄提灌站也产生不少弊病:一是黄河水泥沙含量大(常年平均含沙量每立方米30kg,十几年来,已淤满了12个沉沙池,现在只有惟一的石佛沉沙池,也只能再用一年,南北长24km,沟满河平,每年处理泥沙费高达300万元左右;另外,黄河水中酚、氰、汞、砷、铬等有毒物质均有不同程度的检出,今后黄河水污染可能将更为严重,因此直接引用黄河水水质较差。

目前全市每日缺水10万 m³,1985年后每日约缺水20万 m³。如何解决缺水问题?郑州市领导和有关部门并无很好组织有关专家、科技人员坐下来认真讨论研究,不顾科技界舆论,又决定建设花园口第二个引黄河水的自来水厂。对这项工程我们地质局以韩影山总工程师为首的水文地质科技人员是极力反对的,主要原因是这项工程投资大(约5 200万元),后遗症多,同样存在泥沙处理问题,除建沉沙池需占农田100hm²外,每年还要赔偿农民损失费25万元;抬高地下水位,加重涝灾,影响农业生产发展等。我们根据"省工交办公室"指示和市自来水公司的要求,于1977年开始在北郊花园口、中牟县万滩一带进行了地下水勘察、观测、试验研究工作,证实北郊花园口一带埋藏丰富的浅层地下水资源,那里是一个直接受黄河水侧渗补给的良好地下水库,含水层颗粒粗(为中细砂、中砂及少量粗砂砾石)、厚度大(一般35~42m)、分布面广且稳定,深度60m的井,一眼井每日可采水量5 200~6 300m³,水质良好(矿化度0.34~0.44g/L,总硬度12~17德国度),地下水位浅;黄河水位一年四季高出地下水位,故黄河水可通过地层侧渗源源不断地补给地下水,补给宽度达10km远。计算黄河南侧,东西长10km,南北宽3km范围内,浅层水总补给量每日可达16.65万 m³,扣除农业用水每日2.05万 m³,还余每日14.6万 m³。在此范围内只要打30眼浅井,每日提取10万 m³ 地下水是完全有保证的。如扩大开采范围,可采地下水量可增加到20万 m³。1980年4月,为了进一步论证黄河水侧渗补给的保证程度,我们又在中牟县万滩施工29个浅孔,通过3年多的观测计算,结论与前一致或更好。我们设计方案是在距黄河1km以外的地方打井,而且成井工艺严格按要求执行,根本不会危及大堤安全。开采浅层地下水供郑州市用,地下水位下降一点,还可防治北郊花园口一带农田的盐碱化和涝灾的发生发展,对农业也是有利无害,两全其美。打30眼井的钻探、安泵、建泵房总共只需300万元(不包括输水管道费),建成后的管理费也较少。

现在北郊花园口引黄河水第二水厂已快建成,并不证实这项工程是合理的。如再不按科学办事,必然导致更加严重的后果。我呼吁郑州市应尽快组织有关专家、学者进行科技攻关,采取补救措施:

(1)当务之急是尽快制订一个北郊花园口《黄河水和地下水联合开发利用方案》,在已建二水厂建成后尽快考虑开发利用地下水的水源地,再花几百万元,就可每日增加10万m³水源。

(2)在引黄二水厂建设的同时,就应布置环境保护的监测工作(包括水质、水位、水量、土质等)。发现问题,及时采取措施。

(3)成立郑州市水资源科学管理委员会(主要是由各方面专家、学者组成)实属必要。给领导和有关部门决策当好参谋,审查水资源开发利用方案,监督从事水资源工作的专业部门的工作,提出并协助组织保护地下水老水源地方案的实施等。

我相信,只要领导真正依靠科学技术进步,发挥各方面专家学者的专长,就一定能做好郑州市水资源的科学开发利用工作。

(1984年3月30日在政协河南省五届二次会议上的提案)

附:郑州市人民政府办公室给省政协办公厅的函

省政协办公厅:

4月7日来信并影印件一份收悉。市政府领导对此很重视,当即指示转市公用事业局研究办理,现将市公用事业局处理意见附后,请转告许志荣同志,我们表示谢意,希望能为把郑州市建设成为经济繁荣、清洁优美的社会主义现代化城市积极出谋献策,多提宝贵意见。

此致

敬礼

郑州市人民政府办公室

1984年4月15日

附:郑州市公用事业局给市政府城建科的函

市政府城建科:

转来许志荣同志"关于尽快开发郑州北郊花园口一带丰富地下水资源的再建议"收悉,经研究认为这一建议很好。目前郑州市自来水供水能力为每日40万t,自备井每日采水量约15万t,供不应求,供水紧张。根据预估到2000年郑州市供水日缺72万t,即使二水厂投产后,也远远不能满足要求,目前自来水主要水源为黄河,引水不稳定,含泥沙量大,处理起来困难,为了提高供水保证率,降低供水成本,积极地尽快开发地下水源,增大地下水的供水比重很有必要。郑州市已经把花园口一带地下水列为城市供水开发利用的一个水源地,并提出了规划意见作为"七五"期间的主要供水建设项目,曾于4月份报告省计委,省计委已向国家计委做过汇报。该水源地虽然经过初勘,作为建厂的设计要求还需进一步提出详勘报告,我们准备再次请求水文地质部门进行详勘,做好前期准备工作,争取尽早上马。

此致

敬礼

郑州市公用事业局

1984 年 4 月 12 日

关于环境污染与综合利用的调查报告

省政协经济科技委员会调查组,在省政协委员、省环保局副局长许志荣同志的带领下,于1989年6月上旬至7月上旬,先后对平顶山、南阳、漯河、安阳、新乡、焦作等6个市的30多个厂矿企业进行了调查。通过调查,对煤炭、电力、造纸、酿造等行业的废渣、废水污染与综合利用状况,有了比较全面的了解。各市领导、有关部门及企业,对省政协组织的这次调查十分重视,也希望通过省政协,把综合利用的成功经验、存在问题及意见、要求,反映给各级政府及有关部门,并帮助解决几个实际问题。现将情况报告如下。

一、基本情况与污染现状

我省煤炭和电力工业发展较快,年产原煤已突破8 000万t,装机容量已达508万kW。但也带来了突出的环境污染问题,目前,省内煤矸石堆积量超过1亿t,粉煤灰储存量已达2 592万t,并每年分别以800万t和300万t的速度在增长。这些煤矸石和粉煤灰,不仅占据着大量的土地,而且对大气、水体造成了污染。据调查,平顶山市被煤矸石、粉煤灰占用的土地就有500hm²。由于二氧化硫等有害气体和细小粉尘向大气中排放,使该市市区整日笼罩在烟雾之中,能见度明显低于其他城市。灰场附近种植的卷心菜、大白菜的菜叶里,都包有细细灰尘。1988年,焦作市一煤矸石山因自然发生爆炸事故,造成了人身伤亡。

南阳酒精总厂,是我省规模最大的酒精酿造厂,年产酒精5万t,白酒1万t,丙酮、丁醇等溶剂0.5万t。每天向白河排放酒精糟液达2 700多吨,其中有机质占全市排放总量的65%,是白河的主要污染源。现在白河水质各种有机物污染指标均已超标,有的超标高达30倍,直接威胁着全市30万人供水水质的安全。

由于我省麦草、石灰、煤炭资源丰富,又具有广阔的消费市场,近年来我省造纸工业迅速发展起来。1988年全省有造纸厂1 444家,年产万吨以上的大中型造纸厂21家,在1 423家小型造纸厂中,乡镇小造纸厂就有1 332家,占小造纸厂总数的94%。造纸工业的迅速发展,也给环境带来了较大的污染,全年排放造纸废水约4亿t(乡镇小造纸厂年排放废水约2亿t),这些废水大部分未经处理任意排放,使许多河流及地下水受到不同程度的污染,1989年2月4日至7日,位于漯河市上游的舞阳县储存3个造纸厂废水的土坝被冲垮,50万m³的污水泄入里河,形成10km长的污水带。据调查,该市春节当天因食用被污染的自来水,到医院就医的就达165人次。同时,地下水的过度开采,使局部地区已形成地下水降落漏斗,就连昔日泉水清澈的"百泉"近几年来也断流干涸。

二、综合利用情况

(一)煤矸石、粉煤灰及综合利用现状

我省在煤矸石、粉煤灰综合利用方面做了大量工作,取得了一定成效,开发出了综合利用的途径:一是做建筑材料。几年来,先后研制成功的煤矸石和粉煤烧结砖、水泥、粉煤灰保温材料、粉煤灰筑路材料等数十种产品,已应用于工业、农业、建筑等领域。如平顶山市现已建成煤矸石、粉煤灰水泥厂19个,修粉煤灰公路156km,年收入达7 000多万元。焦作市矿务局已建成隧道窑矸砖厂2个,轮窑矸砖厂6个。1978年至1989年上半年,共生产矸石砖8.7亿块,建造的厂房及住宅近40万 m^2,仅此一项就用煤粉石210万t。二是粉煤灰改良土壤。焦作市自1982年以来,利用粉煤灰改良土壤510多公顷,增产小麦38.5万多公斤,用掉粉煤灰38万t。同时,经改良过的土地,还增加了复种指数,使历史上的一季作物变为麦、秋两季。三是煤矸石发电。焦作市在演马庄兴建了一座煤矸石发电站,装机容量为1.2万kW,年利用煤矸石20万t,1989年投产0.6万kW,预计1990年上半年第二台机组投运。四是矸石山绿化造林。平顶山二矿利用占地3公顷多的矸石山绿化造林,1987年以来已栽树1.8万株,成活率达90%。

(二)酒精糟液的综合利用

南阳酒精厂经过20年的艰苦奋斗,耗资2 000多万元,终于探索出了酒精糟液综合利用的路子,初步形成了完整的环境生态系统工程。一是利用酒精糟液生产饮料酵母。酒精废糟液经固、液分离后的糟水中,含有大量有机物,将其中的总糖和有机酸作为碳源,补加一定的氮、磷等营养成分后,培养微生物,生产饮料酵母。这项工程于1985年由国家计委批准动工,1988年正式投产,总投资为1 109万元,设计能力为日产饲料酵母6.5t。二是日产"4万 m^3 沼气扩建与两万户城市居民用沼气工程"。将酒精糟液分离后的固体物质与饲料酵母废水混合后,在密闭的条件下生产沼气。工程总投资为920万元,现已建成5 000 m^3 立式发酵罐2座,1万 m^3 储气柜1座及输气工程,目前已有2 500户用上了沼气。同时,发酵后消化液中的有害物质浓度也大大降低,如COD去除率为84%,BOD去除率为90.8%,悬浮物去除率为96.5%。三是酒精糟消化液土地处理与农灌利用。这种消化液中有大量的有机质和氮、磷、钾多种营养物质,是优质的有机肥料。从测试的大量数据表明,此项工程完成后,每年可节约复合肥4 000多吨,可使3 300多公顷农田受益,减少白河有机物污染负荷65%,可大大改善白河水质。

(三)小造纸企业废水回收利用

目前,一些小造纸企业对废水回收利用已引起重视,并取得初步成效。如辉县市中小营造纸厂,经过一年多的科学试验,对造纸废水进行清、污分流,一水多用,回收纸浆等几个环节的处理,使吨纸耗水量由原来的400t下降到200t左右,每天少排污水2 000多吨。同时每天又能回收1t纸浆。新乡市牧村造纸厂也进行了节约用水、纸浆回收试验,效果

十分明显,以上两个小造纸厂设计的全套水处理和综合利用工程,只须投资 2 万~4 万元,一般乡镇小造纸厂均可承受,易于推广。

三、问题与建议

(1)建立健全机构,切实加强对"三废"综合利用工作的领导。在调查中,基层普遍反映没有相应的综合利用机构,生产、科研、使用单位之间的关系不够协调,致使先进的科研成果得不到应有的推广。这是综合利用工作不能全面铺开的重要原因。建议各级政府应进一步加强对综合利用工作的领导,在我省煤炭、电力工业发达的城市建立"综合利用办公室",在调查研究、摸清家底的基础上,制定综合利用规划,确保综合利用工作有计划、有步骤地发展。

(2)进一步完善综合利用鼓励、优惠政策。近几年来,有关部门虽然就资源综合利用,在税收等方面制定了一些鼓励政策,但还不够完善,有的在执行过程中将"三废"利用产品的税收改为增值税,加重了企业的负担。如焦作王封砖厂,原来按 3% 的产品税每年上缴3.59 万元,改为增值税后,每年需上缴 22.36 万元,企业实在难以承受,已面临停产转产的威胁。建议省政府及有关部门,应采取措施,合理确定资源综合利用产品的增值税率,继续执行减免税政策。同时建议在煤炭销售和粉煤灰利用中提取一定比例的资金,摊入煤炭、电力成本,作为综合利用开发基金。对生产黏土砖的厂家征收资源占用费,鼓励综合利用工作的开展。

(3)对小造纸厂的治理整顿要实事求是。委员们认为:小型制浆造纸企业的发展,对我省经济建设做出了一定贡献,在一定程度上缓解了纸张供应紧张的局面,具有存在的价值。但是造成的环境污染也是严重的,必须治理整顿。建议在治理整顿过程中,应针对不同情况区别对待。对那些由于布局不合理而造成对敏感地区环境影响较大的小造纸厂,要实行关、停、转、迁;对一些布局基本合理,资源丰富,技术条件较好的小造纸厂,应加强管理,限期治理;对新建或扩建的小造纸厂,必须严格执行"三同时"原则;今后不准新建万吨以下碱法制浆的小造纸厂。

(4)认真总结石灰法制浆废水农田灌溉的经验。石灰法制浆废水的 pH 值接近中性,悬浮物经网笼回收后,基本可满足灌溉农田的要求。沁阳县的山王庄乡,利用石灰法制浆废水灌溉农田已有十多年的历史,至今从未出现污染事故,小麦每公顷产量在6 000kg 左右。委员们建议,要尽快开展石灰法制浆废水灌溉后对土壤、地下水、农作物影响的调查研究,推广应用成功的经验。

(5)关于亚铵法造纸问题。目前,亚铵法造纸废液中蒸球黑液的利用存在较大问题,直接影响着亚铵法制浆工艺的推广。亚铵黑液中主要成分是亚酸铵和大量的有机物,是农业生产中的廉价肥料(氮肥),若不经任何处理排入地表水体,就会造成地表水的严重污染。孟县造纸总厂为减少污水对地表水的污染,他们投资 23 万元,修建了黄河大堤内外的渠道和提灌站,设计了架设空中管道翻越黄河大堤,将本厂造纸黑液送到黄河滩灌溉农田的方案,但因种种原因未被黄河管理部门批准。建议有关部门积极配合,帮助企业解决这一实际问题。

（6）建议省计经委、轻工厅加强对南阳酒精厂综合利用示范工程的领导，多方筹集资金，使前两个系统工程配套完善，消化液农田灌溉试验成功后，应尽快建立消化液农田灌溉的示范工程，发挥其更大的效益。

（7）建议省科委将石灰法制浆废水和亚铵法制浆黑液的农田灌溉试验与科学利用列为省重点科技攻关项目，组织有关部门协同完成。并加强对（三废）综合利用科技成果的开发利用。

（本调查报告由许志荣执笔，省政协经济科技委员会部分修改）

建议将"黄、淮河平原水灾成因及根治研究" 列为河南省重点科技攻关研究项目

理由：

(1)新中国建立35年来,我省豫东、豫南平原洪涝灾害频繁发生。特别是豫南地区,涝灾已成为影响农业发展的主要危害。1984年周口地区降水量高达1 000~1 400mm,我亲临现场调查,灾情十分严重。仅沈丘县因水灾损失就达2.36亿元。

(2)目前不少地方分洪除涝仍停留在挖沟挖河排水的固定模式。有些地方地下水位埋深已在3~4m以下,还在大量挖沟。普遍存在对发展井灌降低地下水位,腾出地下库容,可起到分洪除涝的作用认识不够。应该因地制宜,从各地实际出发,总结出符合当地自然规律的不同治水模式。

(3)平原区大量挖沟挖河,占用不少耕地。如商丘县农业项目区(引进外资)2.45万hm^{2}耕地,19.6万人,因挖沟渠平均每人已减少耕地面积60m^2。从保护土地资源来讲是存在矛盾的。

办法：

(1)请省计经委牵头,有关部门(如:水利、水文地质、气象、农业、林业)参加,在地方党政领导下,组成攻关研究组,选择典型地段开展攻关研究。我认为近期可选以下两种类型区开展研究。

周口地区汾泉河流域沈丘县:属淮河平原,以涝为主。黏性土,水位浅。应以渠为主,渠井结合治理。

商丘地区商丘县农业项目区:属黄河冲积平原,旱涝盐碱共生,砂性土,水位较深。应以井为主,井渠结合治理。

(2)由省计经委或省科委主持召开一次豫东、豫南平原旱涝(特别是涝)灾害治理的经验交流及学术讨论会。总结成功经验,找出研究课题,制订攻关方案。

(本建议为在河南省政协五届三次会议上的提案)

附:办理情况

河南省水利厅1985年10月23日函复:

关于《将"黄、淮河平原水灾成因及根治研究"列为河南省重点科技攻关研究项目》的建议很好。

(1)"六五"计划期间,我省在开封县、封丘县、太康县、长垣县等地已开展了井灌井排、井渠结合与沟洫排水相结合的除涝治碱试验,取得了显著成效和一定的治理经验。"七五"期间计划在黄、淮平原继续进行旱涝盐碱综合治理的研究、推广,提高综合治理的水平,扩大治理面积。

(2)周口地区汾泉河流域与驻马店地区洪汝河平原、南阳唐白河平原均属砂礓黑土渍涝地区。我们计划列为"七五"期间的重点攻关项目,现正与省农科院协作组织勘察选点,准备进行砂礓黑土地区渍涝规律与综合治理措施的研究。

(3)全省目前还有20多万公顷盐碱地和50多万公顷低洼易涝地。这些低洼易涝地大部分在砂礓黑土地区,存在着"旱、涝、僵、瘦"四大特点,也是其影响农业生产的症结。砂礓黑土改良也是一项较复杂的科学技术问题,应将"砂礓黑土渍涝地区的综合治理的研究"列为河南省重点科技攻关研究项目。我们将建议省计经委、省科委1986年内予以考虑,积极组织农、林、水利、气象、水文地质等部门进行协作攻关。

对周口、商丘洪涝灾害调查及治理设想与建议

何竹康省长:您好!

我是一位在河南省从事地下水资源调查研究 25 年的水文地质科技工作者。现任河南省地质矿产局环境水文地质总站副站长,总工程师,省政协委员。1984 年秋天,我省豫东南及豫南地区遭受严重水灾之后,我和我的同志们曾去水灾区作了一些调查。试图从地学观点探讨治理涝灾的方法与途径。本来我不准备多写了,考虑到这个问题似乎已是个历史问题,从上到下有各级水利部门在抓,我们搞水文地质工作的去研究这个问题是否多此一举,故写写停停,一直未写。今年 1 月,我参加全国地矿系统评功授奖劳模会,中央有关领导接见我时,十分关心河南水灾情况,并鼓励我们水文地质工作者也要为治理水灾做工作,使我深受鼓舞。李鹏副总理、刘杰书记、赵地副书记等领导同志都先后去灾区视察、检查工作,使我感受很深。《河南日报》报道,您正月初一深入周口灾区,给灾区人送去了党和政府的温暖;我鼓起勇气提笔向您写了这份汇报。您是一省之长,日理千机,恐无时间细阅。我恳切希望您的秘书读后,能将我对治理我省平原水灾的思路及几点建议转告于您,若能对领导及有关部门工作有一点参考价值,那我将感到十分荣幸。

一、水灾成因初步分析

(1)降水量大,降水时间集中,延续时间长。周口市 1984 年降水量 1 001mm,沈丘县达 1 200~1 500mm。7 月 17 日、7 月 24 日、9 月 6 日日降水量均达 100mm 以上,沈丘县刘庄店一带日降水量高达 300~446mm。7~9 三个月降水累计 32~74 天,连续大雨造成河水暴涨。沈丘县境内的汾河、小泥河上游 1 780m^3/s,汇合进入泉河,由于河道窄浅,只能承受 500m^3/s,致使河水位超地面 142 小时之久。

(2)水平方向排水出路不畅。商水县北部沙河南的高地,排水沟堵塞填平,1984 年涝灾十分严重,有个名叫柳树庄的,房屋倒塌百分之六七十。在不少低平地区,干、支、斗、农、毛沟渠排水系统不健全;相当长的公路排水沟被堵;安徽省在豫、皖两省交界的临泉、界首境内筑起一条高 2~3m、宽 2~4m、长 50 多公里南北向的堵水堤。造成沈丘等县的排水出路被阻塞。我们专程去现场看了此违背自然规律的产物,并访问了安徽省临泉县的陈平营、王庄村的农民,他们也深受其害,因为他们的田间积水,也因修了堵水堤而不能排泄。

(3)地下水位太浅,地下可蓄存降水的空间能力太小。"蓄满产流",造成沟满河平,土壤饱水。

总而言之,暴雨集中降下,上游截不住,下游排不出,也渗不下,这就是造成水灾的根本原因。

二、水灾情况简述

我省 1984 年水灾很重,仅沈丘县的损失就达 2.36 亿元,约占该县工农业总产值的 50%。有关水灾情况的材料已报告不少,故我不多汇报了。我想就与水灾有关的而不被人们重视的几个问题谈一下。

(1)因水灾,周口地区公路损坏路段达 376km,占干线里程的 40%。造成原因主要是由于公路沟无单位管理,水利部门不管,公路部门不管,故堵塞严重,积水使路基长期浸泡,大量水分渗入路基,土壤含水量高达 30%,在大吨位及超重车的压力下,加速了柏油路的损坏。再加上 1984 年冻融期来得早,路基土壤过多的水分尚未下渗,又遭冰冻,在重车继续作用下,致使路面基层发软、变形、油层随之网裂、脱离、松散。所以说周口地区 300 多公里长的柏油路毁坏,也是由于水灾造成的。这既是水的问题,也是环境工程地质问题。损失是很大的。

(2)由于降雨范围广、强度大、历时长、洪水泛滥,致使许多水利工程遭到破坏。仅周口地区水毁工程就达24 074处,其中水毁险工 43 处,大型水闸两座,中型水闸 20 座,小型水闸 51 座,涵闸 288 座,桥梁2 953座,鱼塘6 665处,机电灌站 69 处,机井13 189眼,渠道 106 条,长 62km,渠系建筑物 688 座。据周口地区水利局概算,要修复上述水利工程共需经费1 194万元,补粮221.5 万 kg。

(3)泡桐树在豫东平原为优势树种。大量资料证明,泡桐树的生长好坏与地下水位深浅关系极为密切。水位过浅不利泡桐树生长。1984 年雨水太大,仅周口地区泡桐育苗受灾 7 000 多公顷,淹死幼林1 000多万棵。

三、治理洪涝灾害成功的实例

新中国建立 35 年来,由于兴修水利工程大搞农田基本建设,在防洪除涝方面已取得较大成绩,使灾情大大减轻。在调查中,看到尽管 1984 年雨水很大,也有不少的县、乡、村由于遵循自然规律,治水方法得当,故而取得了明显的效益。举例如下:

(一)周口地区商水县

该县位于沙河以南,汾河东西向横贯,面积1 332km²,素有"五湖十八坡的水乡泽国"之称,易涝多灾。党的十一届三中全会前的 30 年中就有 23 年遭受涝灾,农业发展缓慢,产量低而不稳,直至 1978 年,人均收入还不足 43 元。党的十一届三中全会以来,该县从实际出发,坚持平原治水"以排为主,排灌结合"的方针,狠抓农田水利建设,首先分期治理汾河,打通河道,同时高标准治理改造了 11 条骨干河道,开挖支、斗、农沟5 010条,总长6 589km;建设除涝片 50 多个,共 4.3 万多公顷;新建大小桥涵闸6 341座;修方田路 4 600 条,长6 920km;植树1 300万棵;土方5 500 万 m³,人均61m³。全县干群苦战 5 年,已基本达到"四成两通":沟挖成,路修成,树栽成,桥涵配套成;小沟通大沟,大沟通河流,日降雨150mm 不成灾。我们去该县白寺乡的秦湘湖和天井坡考察,真是大开眼界。历史上十年九涝、多灾低产的穷地方,现已基本建成"沟成网,林成行,田成方,路成型,桥涵配套,沟河相通较为完整的排水体系"。1984年降水量917.5mm,连续降水74天,天上下,沟里流,排水畅通,湖坡也无积水。白寺乡平均每公顷产粮7 538kg,人均产粮682kg,总产比1980年增产1.97倍。群众高兴地说:"坡洼地区要致富,挖沟除涝是出路。"

(二)商水县汤庄乡

我们和周口地区水利局协作在该乡南部6.5km² 范围内开展了"降水、地上水、地下水'三水'资源转化试验研究"。试验区内总干渠、干渠配套齐全,并有引沙河水的马门闸调控,旱了可引水,涝了能排水,速度较快,灵活自如。由于沟渠深度一般4m左右,汛前该区地下水位埋深一般3m左右。1984年7月份降水量373.4mm,地下水位普遍上升1.5m左右,雨后,过高的地下水很快通过支渠、干渠、总干渠排泄。试验区大水之年无受灾,1 560hm² 耕地平均每公顷产粮2 467kg,比试验区以外每公顷多产330kg。

(三)商丘县大吴庄

位于商丘县南郊乡,属黄河冲积平原前缘的一部分。我们于1977年到大吴庄安营扎寨,已在那里坚持观测试验第九个年头了。该区打了52眼机井,全部用地下水灌溉,使地下水位埋深一直调控在汛前5m左右、汛后3m左右的合理状态。旱涝盐碱灾害得到了治理。1979年降水量1 130.90mm,仅7~9月三个月降水量高达788.30mm。商丘地区有13万hm² 农田受涝灾,而大吴庄汛期地下水位埋深仍大于2.5m,降水很快渗入地下,充分显示了土壤"库容"和地下水"库容"具有良好的调节作用。大水之年照样获得每公顷产粮6 000kg以上的好收成。

(四)商丘县

1984年降水量900mm左右,属丰水年份。该县每年地下水开采量0.8亿~1.0亿m³,为商丘地区之冠。由于开采利用浅层地下水,加上蒸发消耗,故该县大部分地区汛前地下水位埋深距地面一般超过3~4m。由于地下库容较大,所以汛期集中降水,一面通过沟河排出,另一主要途径渗入地下蓄存,达到分洪治涝的目的。如商丘县李庄乡罗祖王村,1984年6月份平均地下水位埋深4.60m,10月份地下水位埋深仍达0.98m就是一例。1984年商丘县10.13万hm² 耕地粮食总产3.82亿kg,平均每公顷3 345kg,较1983年平均每公顷增产90kg。总产棉花2 510万kg,较1983年多产900万kg。农业总产值3.894 0亿元,1983年为3.884 5亿元。

四、对治理平原洪涝灾害的一些设想

治理平原区的水灾,应该立足于上游和下游,地上(水)和地下(水)一起治理。因为水是有机联系的整体,所以治理没有整体观点是很难见效的。设想如下。

(一)对上游来水要加以控制

(1)修复加固板桥水库、石漫滩水库、宿鸭湖水库等。目的是暴雨期减少对下游的泄水量。

（2）上游区要大搞植树造林,目的在于截留降水而渗入地下,转化成地下水,既增加了地下水资源,也减少了对平原区的泄水量。1984年5月我赴澳大利亚考察。考察的克拉试验区位于低山丘陵森林地带,地面坡降10%,通过仪器实测资料说明:种植树林区的降水入渗补给地下水量可大于非种植树林区的15%;还有雅斯试验区,为桉树林带区,试验结果表明:降水量的10%转化为地面径流排入下游;10%消耗于蒸发;80%的降水量被覆盖在地表的树叶、树皮截留而补给土壤水和地下水。

(二)对下游要搞好疏通

黄淮冲积平原具有易洪易涝易碱的自然背景。旱涝碱"三害"的产生、加重或减轻,均与水有关;水少则旱、水多则涝、水位过浅则易产生盐碱。归根结底是水的问题。所以"头痛医头,脚痛医脚"的单一治理措施,不但不能解决问题,往往事与愿违。我认为,所谓旱涝碱综合治理的实质,就是从旱涝碱的总根源——"水"字着眼,以水利改良为主,而其中心问题又是调节控制合理的地下水位。当然,不同地区治理的主攻目标不一定完全一样。如豫东平原,可采取旱涝盐碱综合治理:以井为主,井渠结合。在汛期到来之前,提取地下水浇地防旱,腾出地下水库的容量,在汛期就可以储存比较多的雨水,既防涝,又防地下水位过高,盐碱随水上泛。豫东南及豫南平原主要矛盾是洪涝灾害频繁发生。由于潮湿系数较大,又以黏土为主,故尽管地下水位浅,也不易产生盐碱。中心问题是要打开水的通路,疏通腹部,不产生涝灾。以往这些地区比较重视挖沟挖河,水平排水。要达到根治水患之目的,光靠沟河排水是不够的。因为,一要使沟河开挖深度加大,二要使渠道密度增大。根据汤庄试验区计算,支渠相距以700m左右为宜。这就要投入大量人力、物力和财力,并占用较多的土地。我的看法是:既要抓深挖沟河,加强水平排水;也要十分重视发展井灌,开采利用地下水,加强垂直排水,降低地下水位,腾出地下水库容,汛期可蓄存较多雨水,达到分洪除涝之目的。豫东南及豫南地区,潜水水位变幅带以黏性土为主,疏干给水度一般0.035~0.04,若汛期蓄存降水并使地下水位上升3m,则相当于蓄水高度105~120mm,加之土壤水分的蒸发消耗,土层复蓄水层高度可远远大于此数。商水县汤庄乡一位乡长座谈时说:"我们已搞了不少水利工程,引得进(从沙河通过水闸引水)、排得出(沟渠排水)、用得上(提水灌溉)。"我认为还应该加上"渗得下"三个字,即有较大的地下库容蓄存降水。"引得进、排得出、用得上、渗得下",这就全面了。

当前的主要问题是这些地区普遍不重视打井。客观情况是南部地区降水量较多。现在为了除涝,我认为应该很好地宣传一下在这些地区打井抽水。另一重要任务是垂直排水,腾库蓄水。沈丘县泉河流域已打机井2 000余眼,配套约1 500眼,我粗略计算一下,若在汛期到来之前,将这些井开动抽水,除了灌溉以外,将多余水通过支渠、干渠,汇入总干渠,再利用大型抽水泵站,将总干渠中的水抽到泉河排走。这样,汛期来临,可有较大的地下库容蓄存雨水。480km² 范围内用2 000眼井抽水1个月,可抽出地下水3 800多万立方米,使区域地下水位下降2m左右,共约投资200万元。

沈丘县同志讲,淮委要求在泉河两岸筑堤加高。而地、县水利局同志认为应修建大型排水站,将农田积水抽到泉河去。我则认为这是"马后炮"的做法。为什么不能实施既不淹农田,又能将水排出去的方案呢?1983年5月,我赴荷兰参加国际地下水系统学术会议。众所周知,荷兰全国均为低洼平原,有24%的土地低于海面。我住在诺德维克镇会议中心,田间是花的海洋,为了保持合理的地下水位,有抽水机将田间沟中的水抽出顺河流走注入北海。荷兰人民由于因地制宜制定了符合当地自然规律的水利方针,见到实效。他们的治水经验值得我们借鉴。

(三)治水要和植树紧密结合

植树造林不仅能够弥补挖河沟压占土地所造成的损失,而且5年即可成材,产值远远超过被压占那部分土地粮食作物的产值。同时,水利设施需要不断维修,以林养河,以林养渠和兴建其他设施就能解决资金来源问题。从生态学观点来看,提高植被率可以改善水土关系,改善气候,促进生态平衡,也能起到护堤护渠的作用。

(四)治水要和保护土地资源相结合

我省人口众多、密度较大、人均占有耕地并不多,应该十分重视土地资源的保护。包括保持现有耕地面积,扩大耕地面积和保护土地肥力等。对这个问题不少部门和地方似乎还没有认识到。比如,为了防洪除涝,不去研究当地的实际情况,硬性要求群众挖沟挖河摊派土方量,占去了不少耕地。我认为必要的沟河还是要挖的,但究竟怎么挖,挖多少,挖多深?各地应是不一样。如:商丘县农业项目区面积361.80km²,总耕地面积2.45万hm²,为了完成规划土方任务,现已挖沟占耕地100hm²,平均每人已减少耕地面积60m²,按规划还在继续挖沟,共需占用耕地151.6hm²。该试验区一般为沙壤土,渗透条件好,井灌水平较高,地下水位埋深一般已达2~4m,地下水位比沟底深度大,已具备一定调蓄降水库容。所以,我认为类似这样的地区,可以机井灌溉垂直排水为主,腾出地下蓄水库容,来取代大量的挖沟挖渠工程。这样,既避免挖沟大量占用耕地,也可保持农田肥力。

五、几点建议

(1)将"黄、淮河平原水灾成因及根治研究"列为省重点科技攻关研究项目。这是一项多学科(包括:水利、水文学、水文地质学、气象学、农业、林业等)的课题,涉及面广。建议由省计经委牵头,有关部门协作,在地方党政领导下,组织攻关研究组,在以下两个典型地段开展试验研究工作:

一是周口地区汾泉河流域沈丘县。属淮河平原,以涝为主,黏性土、水位浅,以渠为主,渠井结合。

二是商丘地区商丘县农业项目区。属黄河冲积平原,旱涝盐碱共生,砂性土,水位较深,以井为主,井渠结合。

由于篇幅所限,我不可能将考虑的研究课题列上。

(2)由省计经委或省科委主持召开一次豫东、豫南平原旱涝(特别是涝)灾害治理的经验交流及学术讨论会。总结成功经验,找出研究课题,制订攻关方案。

(3)周口地区汾泉河流域治理是当务之急。沈丘县同志反映,新中国成立以来汾泉河从未治理过,在河南境内长约13km,河水经常泛滥成灾,污染也十分严重。此事,应呈请水电部淮委列入计划。并应尽快协调解决,拆除豫、皖交界处的堵水长堤。

(4)面上水利配套经费太少。县里同志讲因无经费,故每年除涝配套面积一两千公顷,速度太慢,对长期遭受水患灾害的地区是否可给予一些投资上的照顾?据说安徽省对水灾区公粮、余粮等减免了,而我省对水灾区没有减免优惠。请省政府研究。

(5)要重视建设和保护公路沿线排水沟及相应的桥涵配套。现在公路部门和水利部门都不管,致使不少地方的过路坝和阻水物尚未拆除。水的来龙去脉是一个有机整体。我认为,公路沟及桥涵排水系统均应归属水利部门管理为好。此事,请政府能否明确一下。

以上汇报不当之处,谨请指正!

(本文为1985年5月1日写给何竹康省长的报告)

水资源与可持续发展

河南省淮河流域洪涝旱灾综合治理对策建议

　　河南省淮河流域面积 8.83 万 km²，耕地约 406.7 万 hm²，人口 5 100 余万人，三者均占全省的 50％以上。该区气候适宜，资源丰富，地理位置优越，是河南省粮棉油主要产区，粮食和棉花总产量均占全省的 60％。辖区内有郑州、开封、平顶山、漯河等 9 座城市，工业企业比较密集，是重要的能源基地。淮河流域的经济状况如何，对全省有举足轻重的影响。由于该地区特殊的地形、地貌、气候条件和水文特征，造成了旱涝灾害频繁。1975年、1982 年、1984 年豫南地区洪涝灾害，给这一地区的经济建设和人民生命财产所带来的巨大损失令人难以忘怀。1991 年夏，信阳、驻马店再遭特大洪水袭击，造成各种经济损失超过 50 亿元，大涝之后，淮河流域又遭多年不遇的特大旱灾。事实告诉我们，淮河流域洪涝旱灾仍是河南经济发展的"心腹之患"，必须加快综合治理步伐。

一、淮河流域洪涝旱灾治理成绩显著

　　新中国建立以来，进行了大规模治淮水利建设，初步形成了除害兴利相结合的水利工程体系。共修建水库 1 400 余座，其中大型水库 11 座、中型水库 41 座、小型一、二类水库 1 355 座，总库容 94.4 亿 m³，修建塘堰坝 28 万余处，蓄水能力 10.96 亿 m³，修建各类水闸 1 128 座，挖修各类灌渠 2 140 条，打机井 40.98 万眼，其中机电配套 33.5 万眼，机电灌站 5 211 处，装机容量 22.6 万 kW，使淮河流域有效灌溉面积和旱涝保收田分别占耕地面积的 50％和 38％；全区新建和加固河道堤防 8 632km。修建滞洪区 3 处，滞洪能力为 4.6 亿 m³；平原地区中型以上河道 167 条，多数进行了不同程度的治理，其中除涝标准达到 3～5 年一遇的有 97 条；已治理低洼易涝面积 98.53 万 hm²，占应治理面积的 72.2％；淮河流域现有水力发电站 267 处、408 台，装机 6.07 万 kW，年发电量 1.13 亿 kW·h。这些水利设施的兴建，大大增强了防洪抗旱能力，对淮河流域工农业生产和国民经济的发展，发挥了显著作用。仅据防洪、除涝、灌溉三项工程分析，水利投资与净效益比为 1:2.9，若包括城市供水、水电、水保、水产等项，效益更为明显。

　　为了贯彻落实国务院治淮会议精神，已铲除了童元等低标准洪区，安置了移民。这是河南在治淮工作上的新突破。

　　与此同时，淮河流域林业建设也有较大发展。在山区面积较大的县和大型水库上游建立了鲁山、石漫滩、薄山、板桥、南湾、黄柏山、鸡公山等 22 处国营林场。南湾、薄山、昭平台等水库上游森林覆盖率都在 60％～90％。淮河流域 46 个平原县，1991 年已全部达到绿化标准。平原林木覆盖率 12.12％，基本建成了豫东防护林。27 个山区县 1988 年森林面积 72.27 万 hm²，林木覆盖率为 19.33％。这些生物工程对涵养水源，保持水土，保护水利工程等，均起到了明显作用。目前，已治理水土流失面积 13 390km²，占应治理面积的 53％。

在淮河流域的山区、平原，涌现了鲁山县瓦屋乡大潹寺村山林集体经营、统一治理；信阳金牛山改善生态环境、振兴各业；新县兴办五级林场、治山治水和商水县低洼易涝区水、田、林、路综合治理等一批先进典型。他们的共同经验是治水必治林："山上多种树，蓄水又护库，雨多它能拦，雨少它能吐，防洪又抗旱，子孙万代福。"当地群众说："山上开荒，山下遭殃，山上绿油油，下游大丰收。"这是群众对治水治林内在联系的生动表述，1975年8月确山县薄山水库在特大洪水时安全度汛的事实，再一次充分说明了这一点。

二、淮河流域洪涝旱灾成因及治理中存在的问题

(一)自然因素

灾害科学研究表明，气候系统过渡地带、中纬度过渡地带和海陆相过渡地带，是地球上典型的孕灾环境地带。而淮河流域恰恰是这三种过渡带的重叠地区，这是淮河流域旱涝灾频发的自然地理因素。

(1)淮河流域地质构造格局是淮河干支流排水不畅的内因。该区西部、南部为伏牛山、大别山隆起地形，平原区位于淮北沉降带的中心，地势低洼，河曲发育，排水不畅，东部受徐州—蚌埠隆起带的影响，极易发生内涝和洪灾。

(2)河南省境内的淮河水系不对称，南北岸支流分属不同的地貌单元。南岸主要为大别山—桐柏山区河流，短而陡、汇流快。北岸属于黄河冲积平原的南翼，支流主要为平原河流，长而缓、汇流慢。当遭大雨、暴雨之后，南岸支流山洪率先到达干流河槽，水位猛涨，导致迟到的北岸平原地区的洪水不易进入河槽，造成内涝。

(3)淮河流域是我国南北气候的过渡地带，受此影响，旱涝灾害的发生具有频度高、范围广、危害大和突发性、持续性、交替性的特点。据1449～1950年的502年的统计资料，该区平均2.6年出现一次旱涝灾害，其中大涝约10年一遇，大旱约15年一遇。1951～1990年，平均2.7年出现一次涝灾，2.5年出现一次旱灾，大涝、大旱均为10年一遇。该区的鲁山、宝丰、鸡公山及泌阳山区为暴雨中心，平原区的上蔡、西平、平舆一带为暴雨高值区。降水时空分布不均，是造成洪涝灾害的主要原因之一。

(二)人为因素

(1)水利工程防洪除涝能力低，不少水利骨干工程年久失修，破坏严重或不配套，防洪能力下降，山坡丘陵区洪水失控，淮河干支流出境处及平原河流防洪排涝标准均很低，有的河道排涝标准仅为3年一遇流量的50%。由于人与水争地，在豫皖交界处两岸堤距最近处仅460m，人为地形成"瓶口"，致使每当洪水来临，又不能科学调度和合理蓄洪，形成"小洪水、高水位，遇大汛、成大灾"、"洪涝搬家，上下游遭灾"的被动局面。另外，信阳、驻马店平原宜井区井灌水平低，地下水位高，遇集中降水时，上游蓄不住，平原河道排不及，地下库容渗不下，沟满河平，洪水泛滥。

(2)生态环境失调，水土流失严重。河南省淮河流域森林资源屡次受到破坏，加上人口增长过快，单位面积资源负荷量大，人均森林面积 $0.02hm^2$，人均林木蓄积量 $1.1m^3$；山

区森林覆盖率仅19.3%,其中防护林少(占15%)、幼林多(占76%),平原农区林木覆盖率虽初步达到绿化标准,但很不平衡,且以幼林为主,难以发挥平衡生态、保持水土的整体作用。流域内没有治理的面积仍有1.3万km²,每年流失土壤5 000多万吨,贾鲁河因淤积,泄水能力已较20世纪50年代初减少40%;白沙、薄山、昭平台3座水库已淤积库容近1亿m³;信阳地区30万座塘堰,有半数以上淤积严重,有的已名存实亡。河库塘堰的防洪排涝能力因此而锐减。

(三)综合治理存在的主要问题

(1)全流域的综合治理规划统一协调不够。治水与治林、防洪与灌溉、地表水与地下水利用和农、牧、副、渔各业全面发展,均缺少系统的有机联系的实施规划,直接影响了洪涝旱灾综合治理的效益。

(2)防洪除涝工程少,标准低。如沙河上游多是暴雨中心,控制工程少,防洪体系薄弱,一旦失事,直接威胁着京广铁路、漯河、周口两市和50多万公顷耕地、600多万人的生命财产安全。全流域167条平原骨干河道,只有42%的河道达到3年一遇的防洪标准。其余58%的河道防洪标准均在3年一遇以下。

(3)许多水利工程重建设、轻管理,长期达不到配套标准,工程效益没有很好发挥。上游山区丘陵防护林采伐量大于生长量,水土流失治理和防护林工程建设的资金严重短缺,与发展林业的要求不相适应。

(4)地表水污染十分严重,大部分干、支流已成为城市的纳污河道。仅沙颍河水系就接纳了郑州、许昌、漯河、平顶山、周口5个市的工业和生活污废水约5亿t/a,其中工业废水约3.3亿t/a,生活污水约1.7亿t/a。宿鸭湖水库平均每天注入污水达6万t左右。既破坏了资源,又影响了沿河农业灌溉和人民群众的身体健康。

三、洪涝旱灾综合治理对策建议

河南省淮河流域的治水方针是"蓄泄兼筹、排灌结合"。治水的指导思想应是:以防洪排涝为重点,旱涝两手抓,上中下游,治水治林统筹兼顾,综合治理。治理对策建议如下:

(1)提高认识,加强领导。水利不仅是农业的命脉,而且是国民经济的命脉,是治国安邦的大事。各级党委、政府要从淮河流域在振兴河南经济中的重要地位,从这一地域潜在灾害危险和多次旱涝灾害对当地经济和人民生命财产所造成损失的现实,深刻认识贯彻中央根治淮河决定的重大意义,切实加强对治淮工作的领导。

(2)统一规划,综合治理。运用系统工程理论,做到"四个结合":上、中、下游结合,水利工程与生物工程结合,地表水与地下水合理开发结合,洪涝旱灾治理与水资源开发保护结合。

在山区:要抓拦截,实施蓄泄并举方针,采取有力措施,增加投入,加快上游水库建设和除险加固等重点工程建设,特别是防护林建设,发展山区经济,保护水利工程。走改善生态环境,以林治山治水之路,既使城里人安全,又使山里人脱贫,是改变洪患干旱频仍的治本之道。

在平原区:一要抓疏通,重点是理顺排水系统,加快平原河道排洪除涝工程体系的完善建设,提高防洪排涝标准;二是要抓宜井地区的井灌,降低地下水位,腾出地下库容,使之起到调蓄洪水和抗御干旱的作用;三要加强生物措施,大搞植树造林。积极推广商水等县实施大闸、深渠、浅井体系,闸、渠、沟、井、林、路配套,综合治理的经验。

(3)治水与用水结合,治水与兴林结合,治理旱涝灾害与发展经济并举。解决水患是淮河流域,特别是信阳、驻马店地区脱贫致富的前提。要克服重治轻用或治而不用的问题,实行水利工程和水资源的科学优化调度。要理顺治水与发展生产的关系,在战略上要控洪治水,在战术上要兴利用水。建议省有关部门在安排耗水量大的工业项目时,优先考虑到豫南水资源丰富、交通方便、原材料充足等条件。在低洼易涝和水资源丰富地区,应调整农业种植结构,大力发展旱改水稻,以用代治;应积极开发利用水面,增加水产养殖业的经济收入。要加强林政管理,大搞封山育林,认真实行限额采伐,推行先进技术和优良树种,恢复森林植被,逐步形成良性循环。

(4)要大力推进技术进步,加强对旱涝灾害综合治理的关键课题的多学科联合攻关。建议各级计委、经委、科委优先安排淮河流域洪涝旱灾成因、规律与治理对策和农业稳产高产的科学研究课题,增加科研经费;将防灾减灾科研成果列入星火项目予以推广;建立新技术推广试验示范区;应在信阳、驻马店、周口、商丘等洪涝灾害最严重的地区,强化科技治水意识,采用先进的综合治水技术,使减灾工作上一个新台阶。

(5)加大淮河流域水污染防治力度,增辟可利用水源。要强化工业污染源的治理,建设城市集中污水处理厂或污水土地处理系统,积极开辟治理资金的渠道;应合理运用淮河流域河道上游较多的水闸工程,保证枯水期有一定流量的污水下泄,避免长时间积蓄的大团污水下泄和突发性污染事故的发生;要把淮河流域洪涝旱灾治理与生态环境保护相结合,提高综合抗灾防灾的能力。

（本文为 1997 年 10 月在南京召开的
"中国地质学会环境地质研讨会"交流论文）

地下水功能保护区划分初探

一、研究的必要性

当前,我国不少城市和地区,一个带有普遍性,而又比较突出的环境问题是水资源不足和水污染严重,已成为社会和经济发展的重要制约因素之一。

据地质矿产部组织、完成的北京、上海等 27 座城市 2000 年地下水资源及环境地质问题预测报告,这 27 座城市中地下水开采量占城市总供水量 50％以上的约占 1/2。开采利用地下水以第四纪松散沉积物孔隙水和岩溶水为主。大多数城市已出现了地下水位降落漏斗,由此导致了水资源供需矛盾紧张、地面沉降、海水入侵、地下水污染等不良环境问题。地下水水质稍差、差、很差的城市 21 座,占 77.8％。据 2000 年预测,地下水水质急剧恶化、快速恶化、中速恶化的城市共 16 座,占预测城市总数的 59.2％。

河南省已完成郑州、洛阳、开封、安阳、新乡、平顶山、焦作、商丘等城市地下水环境质量评价,地下水均已受到不同程度的污染,使城市供水水质安全受到较大冲击。

以上说明,加强地下水环境质量评价,做好地下水环境保护工作,已显得十分重要。应采用多学科协作和综合方法,对一个城市(或区域)的水文系统和地下水系统进行全面研究,在综合考虑地表水和地下水资源,包括水质、水量和各方面利益的基础上,建立最优管理模型,并通过有效措施,如划分水功能保护区、实施排污许可证制度,执行污染物总量控制制度,污染源治理、开源节流、合理调度水资源等,使上述问题得到解决。为此,必须注意水量模型和水质模型之间的联系(包括地表水和地下水),对于地下水水质模型必须给予特别注意。问题的全过程可归结为"查水、治水、管水、保水"这样一个系统。

多年来,我国一些地区,在地表水功能区划分及保护研究方面做了不少工作,在编制一个地区水环境综合整治规划的基础上,对地表水通过功能可达性分析,合理划分功能区、制定了"高功能区水域高标准保护,低功能区水域相应标准保护,专业用水水域依照专业用水标准保护"的原则,分别制定了水污染防治对策,取得了较好的效果。而对地下水功能保护区划分研究较少。本文对此问题作一些初步探讨,以供交流。

二、研究技术路线

按照系统分析、定性判断、定量决策、综合评价的方法,采取水资源现状调查—制定现状功能—划分功能区—预测污染因素—可达性分析—方案实施。将地表水(或污染的地表水及污染源)—保护层特性与自净能力—地下水稀释、扩散能力—地下水环境质量—水污染治理及水源保护措施,作为一个系统进行综合研究。

工作程序:综合调查现状年的水环境状况,确定水平年(预测年)即功能区划定年限,为达到水平年的水质目标,采用系统分析、定性判断、定量决策、综合评价的方法,对地下水功能保护区进行划分。其系统分析流程如图1。

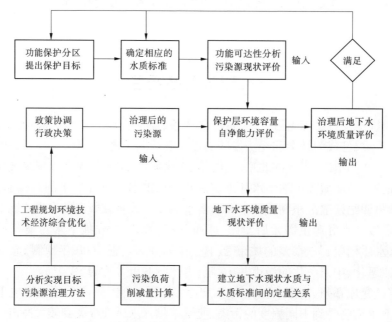

图1　地下水功能保护区划的系统分析流程图

三、地下水功能保护区划分

(一)划分的目的

地下水功能保护区的划分是水资源保护和水环境管理的一项非常重要的基础工作,对于水资源的开发、利用、保护和管理具有重要意义。其主要目的是:

(1)为各级政府和有关部门合理开发和利用水资源提供科学依据。

(2)为各级水行政主管部门依法加强水资源的统一管理和保护工作服务,促进经济、社会、资源开发、环境保护的协调发展。

(3)确定地下水环境保护的重点水域和保护目标。

(4)为制定水资源保护规划和饮用水源保护规划提供科学依据。

(二)划分原则

(1)饮用水源地优先保护原则。应以饮用水源为优先保护对象,在保证重点功能区的前提下,可兼顾其他功能区的划分。同一水域兼有多类功能的,依最高功能划分类别。

(2)地下水环境质量宏观控制的原则。划分功能区不能影响潜在功能的开发和下游的使用功能。

(3)保持现状使用功能的原则。地下水体已存在的功能为现状功能,根据规划管理需要重新确定的水域使用功能为指定功能,未经技术经济论证,且未经水资源管理部门批准,不得任意降低现状使用功能。

(4)技术、经济约束原则。地下水功能保护区划分必须考虑经济上的合理性和技术上的可行性。水环境质量要求过严,则对经济发展制约较大,且技术上也难以达到。反之,水环境质量要求太宽,则达不到控制污染,保护水源的目的。在研究环境保护目标的可达性时,应通过多种方案的比较,以确定实现功能区目标的最佳方案。

(5)地表水与地下水统筹规划、整体保护的原则。地表水与地下水(尤其是浅层地下水)有密切的水力联系。当地下水位下降出现地下水的降落漏斗后,加速了地表水对地下水的补给速率。特别是现今大面积地表水已受到明显污染,地下水功能保护区划分必须和地表水功能区划分密切结合,统一评价,统筹规划,以达到水资源系统整体保护之目的。

(6)地下水系统保护完整性的原则。要从地下水的补给、径流、排泄的实际出发,结合含水系统的地质构造、边界条件,水文地质条件,主要含水层上覆保护层的地层结构、特性及原则,污染源分布及特征,地下水环境背景值及环境容量,进行综合评价,提出地下水功能保护区划分及完整性保护的对策。

(7)统筹安排不同专业用水区的原则。饮用水源地取水口及卫生防护区,渔业水域,农灌用水专业用水区,应分别执行专业用水标准,工业用水依不同产业要求划分专业用水区,并由相应主管部门依法管理。

(三)划分方法

地下水功能保护区划分的主要内容是分析地下水现状功能、指定功能和潜在功能有无矛盾,并求得统一,根据各地的实际情况及技术经济上的可行性,推荐功能保护区划分方案。具体可分以下四个步骤。

1.收集基础资料,进行地下水水域勘察

(1)基础资料主要包括:水文地质条件,主要开采含水层之上覆盖层的岩性、结构、厚度、城市发展规划、工业布局和人口分布,区域内资源的种类与分布,各经济部门的发展计划等。

(2)地下水水域勘察主要包括:地表水水文及水环境状况;用水部门及用水情况;主要污染源分布、废污水水质及排放量;城镇人口、工矿企业分布及产值;地下水开采量及不同用水情况、地下水水质、地下水位动态变化;用水量预测、工业及生活废污水排放量预测;开采地下水有无产生地质灾害?地质灾害类型及成因分析等。

2.定性分析

在充分掌握基础资料的前提下,对水环境现状进行分析,通过分析水体现状使用功能以及水体的潜在功能,并结合用水部门对水体提出的今后使用功能、供水状况和用水要求,以及水污染防治工作状况、经济技术发展状况,在兼顾水文地质单元或供水区域上、下游关系的基础上,确定功能区的划分方案。定性分析不能获得明确答案,则需通过定量计算进行决策。

3.定量计算

在定性分析确定水体功能保护区性质或类型的基础上,通过水质模型计算,建立功能区污染物(或污染的地表水)输入—覆盖层(保护层)自净—地下水稀释扩散—地下水水质之间的响应关系,进行水环境目标的可达性分析及优化处理。

(1)功能区水质模拟,环境目标可达性分析。为完成污染负荷定量分析工作,首先需要利用水质模型,计算不同环境目标和达标率条件下,各地下水单元的主要污染物的环境容量及允许排放量及削减量。

(2)环境、技术、经济条件优化模拟。选用适当的模型和参数,通过计算以确定达到水环境目标的最佳方案。

4.综合评价

地下水功能区划定后,通过对地下水供水地区的环境、技术、经济条件的系统分析,对地下水功能保护区水质目标可达性作出评价,为决策部门提供参考。

四、安阳冲洪积扇地下水功能保护区划分初探

(一)地下水资源条件

(1)研究区位于太行山山前,为一完整的山前冲洪积扇水文地质单元,地下水资源丰富。地势自西向东倾斜,砂卵砾石含水层的覆盖层(或称保护层)厚度,由西部小于5m向东增至30~40m。冲洪积扇顶部与安阳河现代河床相接,南北两翼为丘陵岗地,组成岩性为下更新统红色泥砾黄白色黏土层,地下水赋存的边界条件清楚。冲洪积扇总面积230km²,主流相强富水区,含卵砾石水层厚度20~50m,单井单位涌水量大于1 000 t/(d·m),单井出水量可达3 000~10 000t/d以上,面积82.6km²;泛流相中等富水区,卵砾石、砂含水层厚度10~20m,单井单位涌水量在200~1 000t/(d·m),单井出水量1 000~3 000t/d,面积45.6km²;边缘相弱富水区,砂层含水层厚度5~10m,单位涌水量100~200t/(d·m),单井出水量100~1 000t/d,面积101.8km²。浅层承压水含水层主要接受侧向地下径流补给,约占总补给量的69%,其次为河渠渗漏、降水入渗和农灌回渗补给。冲洪积扇平均补给总量为42.63万 m³/d,目前平均日开采量为44.52万 m³/d,超采1.89万 m³/d,已形成41.62km²面积的地下水位降落漏斗,中心最大水位埋深达17.42m。并形成与浅层承压水漏斗复合的潜水漏斗,面积达61.12km²,中心最大水位埋深12.50m。地下水为安阳市供水的重要水源(城市用水人口43.88万人),城市自来水公司供水系统4座水厂和248眼自备井,均坐落在冲洪积扇上。

(2)地表水和地下水具有较密切的水力联系。除了扇的顶部安阳河水补给地下水外,由于地下水位的下降使西、中、东部地下水位分别比安阳河水位低3m、4m、5m左右,造成安阳河水补给地下水。

(3)地表水污染严重。以地面水环境质量标准(GB3838—88)的Ⅴ类标准值为基准,安阳河、万金渠、洪河有机污染与油类污染严重,主要污染指标为石油类、氨氮、COD_{Mn}、BOD_5。各水域现状功能普遍受到污染,使用功能破坏严重。

(4)地下水受到一定程度污染。全区主要工业企业288家,年排放各种废水1.51亿 t,以不同形式和途径渗入,对地下水产生不同程度的污染,造成总硬度超标面积已达

$29.25km^2$，三氮超标面积$20.01km^2$，六价铬污染面积$2.2km^2$，使自来水厂先后有7眼供水井报废。经综合评价，轻度污染区面积$85km^2$、中度污染区面积$26.56km^2$、重度污染区面积$4.5km^2$，部分井水严重污染。

(二)地下水功能保护区的划分

1.划分原则

安阳冲洪积扇目前地下水开发利用主要功能有:生活饮用水(开采量0.373 2亿t/a)、工业用水(开采量1.008 3亿 t/a)、农业用水(开采量0.243 5亿 t/a)及混合用水功能区。地下水功能保护区的划分，既要考虑地下水功能区的现状，也要预测今后水质水量的变化而引起水功能保护区性质的改变。在保证水质水量的前提下，分期分批进行保护，以污染源的监督管理为重点，实现地下水功能保护区确定的目标，具体考虑以下几个方面。

(1)根据地下水现状功能和规划功能，均应以饮用水源为优先保护对象。即主要水功能保护为地下水饮用供水水源的保护，可称人群健康第一原则。

(2)应将安阳冲洪积扇作为完整水文地质单元进行整体功能的保护，该区西部山区的岩溶水，在向东径流过程中，通过小南海泉、珍珠泉、经安阳河与地下水发生水力联系，是地下水的主要补给源，且因保护层不发育，地下水易受污染，故"两库一泉"和安阳河源头水，应划为水源保护区，作为高功能水质保护。可称水域完整性原则。

(3)该区中东部248眼自备井，兼顾饮用供水和工业用水双重功能，其水功能保护应服从于饮用水供水功能保护的要求。可称最高功能原则。

(4)要从地下水的补给、径流、排泄的实际出发，结合冲洪积扇的地质构造、边界条件、主要含水层上覆保护层的地层结构特性及厚度、自净能力、污染源分布及特征，进行水功能保护区的划分。

(5)考虑地表水和地下水有较密切的水力联系，所以，地表水功能保护区的划分要和地下水功能保护区划分密切结合、统筹规划与评价。地面水实行污染物总量控制，以保证地下水环境质量标准控制的实现。

(6)水功能保护区的划分必须考虑经济上的合理性和技术上的可行性。要求太严，则对经济发展的制约较大，且技术上也难以达到;要求太宽，则达不到控制污染、保护水源的目的。区划应始终贯彻一个原则，实现区域环境目标的区域投资最小。可称社会经济持续发展原则。

(7)划分各种水域功能，一般不得低于现状功能，这就是说，凡是经县以上人民政府划定的水体功能保护区和自然保护区的水体，其功能和区域范围仍应保持不变动的原则。可称现有功能原则。

2.安阳冲洪积扇水功能保护区划分

(1)"两库一泉"水源保护区。西部山区的岩溶水在向东径流过程中，通过小南海泉、珍珠泉经安阳河与冲洪积扇地下水发生联系，是地下水的主要补给源，也是今后冲洪积扇扇顶人工回灌的惟一水源。所以，"两库一泉"水源保护至关重要，应划分为重点水功能保护区，地面水和地下水均应优于Ⅲ类水质标准值。

(2)扇顶源头补给水源重点保护。位于冲洪积扇强富水—中等富水区，上覆7~

12m 厚的亚砂土,亚黏土,保护层薄,环境容量较小,该区为安阳河补给地下水的主要通道。工业废水排放总量 216.9 万 t/a,占整个区域废水排放量的 1.4%。该区应突出保水,确保源头区水质良好。地面水和地下水均执行Ⅲ类水质标准值。

(3)中部工业、饮用地下水双重功能保护区。分布于城区一带,工厂集中、人口稠密、开采井密度大、地下水开采强烈、环境污染严重。该区为富水—中等富水区,含水层上覆 20~30m 厚度的亚黏土夹砂砾石透镜体,环境容量较大。局部地区保护层已受到破坏,使地下水受到六价铬等污染。年工业废水排放量 1.485 亿 t,占扇内工业废水总量的 98%。根据其供水性质,又可分为以下两种类型:①水厂集中式饮用供水功能保护区;②自备水井分散式给水水源卫生防护带。

该区自备水井兼有生活饮用和工业供水双重功能,且自来水厂和自备水井相间分布。故其水功能保护应服从于饮用水功能保护要求,地下水水质应达到地下水Ⅲ类水质标准,作为集中式生活饮用水水源地保护区。为达此目的,对地面水应管治结合,实行排污总量控制,加强对点源的治理和一般有机物废水的联片集中治理。由于受经济技术条件的约束,应在不同时期采取不同的保护措施。即服务于水环境目标管理的各项战略决策和措施,要分期实施分步到位。"八五"期间,使地面水质达Ⅳ~Ⅴ类水质标准;2000 年达Ⅲ~Ⅳ类水质标准。通过安阳河环境目标可达性评价,投资 823 万元的点源加集中处理方案,可满足安阳河Ⅳ~Ⅴ类水质标准 95% 以上的达标率要求。投资 1 959 万元的点源加集中处理方案,可满足安阳河Ⅲ~Ⅳ类水质标准达标率 90% 的要求。这样的地面水环境质量,经过厚度为 30m 左右保护层(岩性为亚黏土夹薄层砂砾石)具有较强的吸附能力和自净作用,可以使地下水功能保护区划分目标得到实现。

(4)东部、南部农业用水功能保护区。位于地下水下游区,主要为农业用水开采,属轻度开采区,由于上游过量开采,已影响到此,使地下水流向发生倒转,由原来的地下水径流排泄区,变成地下水的补给区。由于该区地下水有优越的保护条件,保护层由亚黏土夹 2~3 层砂砾层,厚度大于 30m,组成多层结构,自净能力强,地表污染物一般不易进入浅层承压水中,地表水可放宽排放标准,执行Ⅳ~Ⅴ类水质标准。地下水主要服务于农灌功能及居民分散饮用供水,故该区地下水水质达到Ⅲ~Ⅳ类水质标准的要求。

由于地下水功能保护区划分工作尚属探索之中,加之本人水平有限,故文中谬误难免,谨请批评指正。

(本文为 1997 年 10 月在南京召开的
"中国地质学会环境地质研讨会"交流论文)

开发利用水资源是系统工程

一、我们面临缺水危机

当人类喜迎 21 世纪到来之时,我们的地球却日益陷入淡水资源短缺的困境。世界缺水,中国缺水,河南缺水。1997 年联合国的一份研究报告发出警告:"缺水问题将严重制约下个世纪的经济和社会发展,并可能导致国家间的冲突"、"到 2025 年,世界上只有 1/4 的人口有足够的饮用水"、"未来水将比石油更为贵重"。当今世界普遍关注水危机问题,缺水已成为制约 21 世纪可持续发展的主要"瓶颈"因素。

我国水资源总量 2.8 万亿 m^3,居世界第 6 位,但人均水资源占有量只有 2 400m^3,不足世界水平的 1/4,被列为人均水资源 13 个贫水国家之一。我省水资源总量 413 亿 m^3,占全国水资源总量的 1.4%,居第 21 位。人均占有水资源量 440m^3,不足全国平均水平的 20%。每公顷耕地占有水资源量 6 075m^3,居全国第 24 位。我省现状水资源开发利用量每年 240 亿~270 亿 m^3,占水资源总量的 60% 左右。属高度缺水地区。

二、水危机有自然因素,也有人为因素

(一)自然因素

灾害科学研究表明,气候系统过渡地带、中纬度过渡地带和海陆相过渡地带,是地球上典型的孕灾环境地带。而我省恰恰是这三种过渡地带的重叠地区,造成降水时空分布不均。受此影响,旱涝灾害的发生具有频度高、范围大、危害重和突发性、持续性、交替性的特点。一方面干旱缺水,一方面汛期洪水又得不到科学调度和合理蓄洪。

(二)人为因素

农业、工业、生活用水量急剧增加。农业用水和工业用水分别占全省用水量的 73% 和 16%,且需水量仍在上升。人口急剧膨胀和城市化的大趋势,也使生活用水量激增。

用水浪费严重。我省农业灌溉用水普遍存在"大锅水"现象,灌溉水的利用率一般只有 0.4,而很多国家已达到 0.7~0.8;工业用水重复利用率低,除电力、化学工业重复利用率较高外,一般只有 40% 左右,而发达国家为 75%~85%。

水质污染加剧。全省工业和城市生活排放废污水每年达 21 亿 m^3,达标率只有 44.5%,造成地表水污染严重。海河、黄河、淮河流域失去供水功能,劣于 V 类水质标准的河段已超过半数。19 座大、中型水库中有 3 座水库只能作为工业用水,不适宜饮用供水。大型水库宿鸭湖已连续 7 年劣于 V 类水质标准,不经处理已不能用于农业灌溉。城市区

地下水均已受到不同程度的污染。

生态环境如果得不到有效改善，就难以发挥平衡生态、保持水土的整体作用。大范围内超量开采地下水，全省已产生地下水位下降漏斗29个，面积达1.2万余平方公里，导致许昌等城市已出现地面沉降。此外，黄河（河南段）水环境也正遇到断流、污染等问题的困扰。

三、开发利用水资源是系统工程

在水资源日益短缺，水浪费和水污染严重的难题面前，人们并非无所作为，而应采取积极的对策和科学措施，完全可以取得"查水、用水、管水、保水"的良好效果。

依法治水，强化管理。认真贯彻执行《中华人民共和国水法》、《中华人民共和国环境保护法》、《中华人民共和国水污染防治法》、《中华人民共和国森林法》。坚持"开源节流并重、节流优先、治污为本、科学规划、综合利用"的原则。加大宣传力度，提高广大民众的水资源短缺忧患意识和节水意识。

贯彻水资源有偿使用原则，提高水价。采取市场经济的办法管理水资源。按照供需平衡的原则给予水资源以商品价格，尤其农业用水有偿使用方面应有新的推进。

广泛利用节水技术。循环利用，提高用水效率。创建"节水型城市"和"节水型企业"。抓好农业节水灌溉，推广滴灌、渗灌、微灌和喷灌技术。加大污水治理的投入，实现污水资源化。

兴建水库和闸坝工程，提高地表水资源利用率。我省一方面水资源短缺，一方面有占有河川径流60%的洪水径流白白流失。1997年（干旱年）全省实测出境水量较入境水量多68.5亿 m^3。1998年（丰水年）全省实测出境水量较入境水量多277.02亿 m^3。"十五"计划乃至更长时期，应积极兴建水利工程，拦蓄地表水，提高地表水资源利用率。

建设"水源森林"。森林是天然的"绿色水库"，在广大平原区应进一步建设农林园田化。在山区和山前地区，特别是在一些暴雨中心地带，应建设密集林带，一方面可以增大水资源涵蓄量，另一方面起到分洪作用，可明显减轻下游平原区的洪涝灾害。

建设水资源地下调蓄系统。我省东部和北部黄河两侧平原区，有6个地下水位下降漏斗区，总面积8 000多平方公里，地下调蓄水文地质条件良好，计算可以调蓄的地下库容达30亿 m^3。结合引黄灌溉补源，建设黄河地表水与地下水库联合调蓄系统，若调蓄一半地下库容，则可一次性增加地下水供水量15亿 m^3。

豫南水资源丰富，应加大研究与开发力度。信阳、驻马店、南阳3市的水资源潜力资源较丰富。新建用水量大的工业建设项目，也可适当南移，建在水资源保证程度高的丰水地区，这样也有利于加快豫南的经济发展。

争取南水北调中线工程早日上马。南水北调中线工程供水区涉及我省12个市的50个县（市），按照规划，年均调水量分配给河南省54.1亿 m^3，扣除沿程输水损失到分水口门水量为47.71亿 m^3。河南境内共设分水点52处，增加沿线城市生活、工业和农业灌溉供水，减少地下水开采量，提高供水保证率。

解决水危机,必须从研究水资源系统与自然环境系统之间的相关关系,扩大到研究水资源系统与社会经济系统的相关关系,最终建立水资源开发利用与环境优化管理系统,实现水资源的可持续利用,保障社会和经济的可持续发展。

(本文原载 2001 年 2 月 5 日《河南日报》)

对河南省积极实施可持续发展战略的几点建议

（中共河南省委办公厅）按：最近，省地震局局长许志荣就我省积极实施可持续发展战略问题向省委提出建议。省委书记李长春对此批示：①此意见很好，可发交流简报；②可持续发展战略，是"九五"及2010年我省三大战略之一，计委应主管这一战略的落实；③关于研究中心的问题可否由省社科院内部调整研究内容，把这一课题作为河南的重要社科内容纳入进去，请炎志研究。省委常委、秘书长王全书批示：可发《综合与交流》。现将许志荣同志的来信予以转发。

长春书记：

我在河南从事水资源、环境保护、防灾减灾管理及科研工作已37年。我深深地热爱河南大地。由于长期从事着改造自然及保护自然的工作，所以对我省实施可持续发展战略问题，一直在不断地学习，不断地加深理解，也在不断地思考一些有关的问题，特向您汇报一下我的一些想法与建议。

一、可持续发展战略——面对新世纪的重要选择

站在新世纪的门槛前，人类正在对所走过的道路进行深刻的反思。而从中得出的最大一个共识，莫过在联合国环境与发展大会上100多个国家政府首脑共同签署的《地球宣言》中提出的：要遵循可持续发展战略。

可持续发展就是人口、经济、社会、资源和环境的协调发展，既要达到发展经济的目的，又要保护人类赖以生存的自然资源和环境，使我们的子孙后代能够永续发展和安居乐业。

我国政府十分重视可持续发展问题，《国务院关于贯彻实施中国21世纪议程——中国21世纪人口、环境与发展白皮书的通知》（国发[1994]37号）从我国的具体国情出发，提出了我国可持续发展的总体战略、对策和行动方案，是我国经济和社会发展顺利迈向21世纪的指导性文件。可持续发展战略对于我国今后15年的经济和社会发展乃至整个现代化建设，都具有重要意义。

河南，可以说是中国的缩影，人口多，人均资源少，污染严重，生态环境恶化，自然灾害频发，经济基础较为脆弱。前车之鉴，生存的压力不能不使我们担忧：在河南史无前例的开发建设中，人类是否要以牺牲赖以生存的环境为代价，去换取短期的、局部的经济利益？现实的挑战迫使我们去谋求新的思维抉择，重新审视自己的行为。只有实施可持续发展的战略，才符合我省的省情，各级领导都应当树立可持续发展的意识，要有人口、经济、社会、资源和环境实现相互协调、良性循环的紧迫感。

二、我省实施可持续发展战略任务艰巨而繁重

(一)人口多、压力大

我省人口总数已超过 9 000 万,为全国人口第一大省。这意味着我们保持人口增长与经济可持续发展、资源和环境保护的担子更重。保证省委提出的"一高一低"战略目标的实现,任务是十分艰巨的。

(二)洪涝旱灾频发、严重

纵观我省农业发展史,实际上是一部与水旱灾害作斗争的历史。我省一方面洪涝灾害频繁,一方面干旱缺水。"春旱秋涝、涝后又旱、旱涝交替"仍是我省建立农业强省的主要制约因素之一。

(三)水资源缺乏,水质污染恶化

我省总水资源约 413 亿 m^3,人均和每公顷耕地平均占有水资源量仅约为全国平均值的 1/5~1/6。水资源在时空上的分布不平衡,且浪费严重、重复利用率低,水的供需矛盾日益突出。全省优质地面水已基本消失贻尽,大量过多开采地下水,又出现大面积地下水位下降和许昌等地的地面沉降。城市地下水亦不同程度地遭到污染。水污染事故时有发生。因水土因素,我省还是全国地方病严重省份之一。

(四)土地荒漠化,人地矛盾尖锐

我省人均耕地 0.075hm^2,低于全国人均耕地 0.087hm^2 的水平。我省要用占全国 1.74%的土地养育占全国 7.4%的人口。从 1954 年到 1995 年的 41 年间,我省耕地由 906 万 hm^2 减少到 680 万 hm^2,平均每年净减耕地 5.5 万 hm^2,相当于每年减少一个中等县的耕地面积。1991~1995 年间,全省人口平均每年以 100 万人左右增加,耕地平均每年则以 2.67 万 hm^2 左右减少。两个因素的逆向发展形成了我省紧迫而尖锐的人地矛盾。

据 1993 年调查,全省防护林面积比 1988 年减少 2.81 万 hm^2,荒漠化面积比 1988 年增加 1.53 万 hm^2,目前仍在继续扩大。

按全省每年增加 100 万人左右的速度,我们每年必须新开垦 6.7 万 hm^2 耕地才能实现这一平衡。但是我省的耕地后备资源不足 20 万 hm^2。形势十分严峻。

(五)黄河问题

黄河在郑州以东成为"悬河",黄河河床以每年 10~12cm 的速度淤高,河床高出地面 5~10m。黄河水为我省重要的城市饮用水及工农业用水水源,但现今黄河断流十分突出,1996 年黄河断流 150 天左右,断流距离超过 700km。黄河水污染时有发生,郑州花园口黄河水质为地面水 Ⅲ~Ⅳ 级标准(注:此标准只能用于农业灌溉)。由于新构造运动和

地质作用,加之地震因素(特别是兰考—聊城大断裂带的存在),特大暴雨造成黄河决口改道、洪水泛滥的威胁越来越大。

(六)资源浪费,污染严重

我省工业企业特别是乡镇工业企业整体技术水平不高,对可持续发展战略观念淡薄,致使我省环境形势非常严峻,尤以水污染更为突出。预测到 20 世纪末,全省废污水排放量将从现在的每年 15.5 亿 m^3 增加到每年 28 亿~30 亿 m^3,如果按工业废水处理达标率55%计算,城镇生活污水处理达标率50%计算,依地面水环境容量推算,我省将有可能出现无达标饮用水源的严重局面。我省人均占有矿产资源量低于全国水平,急功近利滥采乱挖、粗放式的管理经营,浪费资源和破坏环境现象严重。

综上所述,就全省总的情况来看,河南人口不断增加,自然资源日益短缺,生态环境继续恶化的严峻形势仍然没有得到有效的遏制,并在继续发展,势必成为振兴河南经济,走可持续发展之路的很大障碍。

三、加快实施我省可持续发展战略的几点建议

我省是一个经济欠发达的农业大省,在走向 21 世纪的短短几年中,我们必须坚定不移地以《中国 21 世纪议程》基本精神和要求为主要依据,按照省六次党代会提出的可持续发展战略,围绕"把经济建设搞上去这个中心,解决好人口、资源、环境与发展四者之间的关系。这是一项庞大复杂的系统工程,任重而道远。我们没有现成的可持续发展战略可遵循,必须不断地提高认识,不断地探索。生活在中原大地上的每一个公民,都应为实施可持续发展战略目标献计献策,并为之奋斗不息。出于这种心愿,特向省领导提出以下建议:

(1)加强对实施《中国 21 世纪议程》工作的领导。①成立《中国 21 世纪议程》河南省协调小组(或称河南省执行委员会),归口在省计委或省科委,负责协调和组织《中国 21 世纪议程》在河南省的实施。②组建河南省 21 世纪研究中心,归口省计委或省科委领导。其主要职责是咨询、参谋与评估。该研究中心亦可聘请一批在职或已退下来热心 21 世纪研究工作、层次较高的领导及有关高级科技专家参加。

(2)1998 年省人大换届时,是否可考虑在九届省人大设立环境与资源委员会。八届省政协专门委员会应加强人口、环境、资源与经济社会协调发展的参政、议政力度。

(3)当前一项重要而紧迫的工作,应尽快组织力量编写《河南省 21 世纪议程——河南 21 世纪人口、环境与发展白皮书》。将《河南省 21 世纪议程》的基本思想和内容纳入各地区、各部门的国民经济和社会发展计划,并提出优先实施的具体行动计划。

(4)党政一把手要对当地的人口、资源、环境与经济相协调、良性循环负总责,这应作为干部任期政绩考核主要内容之一。在抓好以经济建设为中心的同时,以"科教兴豫"战略为基础,竭尽全力抓好计划生育,组织施行"山水共治"方略,兴建"青山绿水"工程,实施环境总量控制计划及绿色工程规划,保持耕地总量动态平衡。

(5)我省大开发的基调应该是绿色。治水之根在治山,治山之本在兴林。走改善生态

环境,以林治山治水之路,既使城里人安全,又使山里人脱贫,是改变我省洪患十旱频存的治本之道。森林的水文效应是世界公认的。应采取水利工程与绿色工程并举,科学、合理地保护开发淡水资源。

《中国 21 世纪议程》确定我国可持续发展战略目标为:"建立可持续发展的经济体系、社会体系和保持与之相适应的可持续利用的资源和环境基础。"省六次党代会和《河南省国民经济和社会发展'九五'计划和 2010 年规划》,结合我省实际情况,提出了一整套具体目标和实际措施。我相信,在省委、省政府的正确领导下,经过全省人民共同努力,艰苦奋斗,一定能把可持续发展战略的精神力量转化为丰硕的物质成果,把中原大地建设得更富裕、更优美。

此致

省地震局局长、研究员　许志荣

（原载中共河南省委办公厅《综合与交流》1997 年第 10 期）

关于水资源可持续利用的几点建议

今天,参加省政府召开的发展高新技术产业对策研讨会十分高兴。"科教兴豫"是我省"九五"计划及 2010 年三大战略之一。在当前国内外高度重视建立科技经济、科技和人才竞争激烈的新形势下,经济发展从重外延向重内涵方向转化,实现可持续发展,更应研究一下从战略上、全局上组织协调好全省的科技进步,特别是高新技术产业的发展,发挥综合优势,形成科教兴豫的大气候,实现科技与经济和社会发展的有机结合。

现汇报一下"关于水资源可持续利用的几点建议"。

一、水资源与可持续发展

可持续发展观强调的是资源、环境与经济的协调发展,追求的是人类活动与自然的和谐。水资源是自然资源之一,又是不可替代的自然资源,是可持续发展人类生存的基础。水是城市生存和发展的首要条件。水资源是可再生资源,但并不是取之不尽、用之不竭,而是相对有限的。对水资源合理开发利用和保护,可以实现水资源的永续利用,对社会经济可持续发展是一个保障作用。反之,对水资源开发利用不当,人为诱发水环境恶化或水环境灾害,加重水资源短缺或危机,则对社会经济可持续发展起制约作用。因此,水资源与可持续发展研究具有十分重大的意义。

二、我省水资源问题的严重性

我省水资源并不丰富,总水资源量约 413 亿 m^3,人均和单位面积耕地平均占有水资源量,仅为全国均值的 1/5~1/6。且降水和地表水资源年际变化大,年内分配不均,地域上水资源条件差异性较大。当前我省水环境形势十分严峻,有一半以上的地表水污染严重,水污染事故时有发生。主要河流的多数监测断面仍超出国家地表水环境质量 V 类标准。我省不少地区的地下水已遭到污染,从已完成的郑州、开封、洛阳、新乡、安阳、平顶山、商丘 7 个城市浅层地下水污染现状调查资料看,这 7 个城市的地下水均已遭到不同程度的污染。尤以开封市最为严重,浅层地下水污染的面积约 100km^2。全省县镇几百万人饮用污染的河水、浅井水和塘水,占县镇人口的 60% 多。全省有 200 多万人因长期饮用超标高氟水源而患氟中毒病。有 800 万人饮用水难以保证。另外,由于过量开采地下水,18 个城市中有 13 个城市地下水位较大幅度下降,例如,郑州市中深层水区域降落漏斗面积已达 300 多平方公里。许昌市地下水位已下降 70 余米,土层中水体疏干,土层压缩,市区已产生地面沉降。水资源浪费也十分严重,工业和农业用水的利用率低。全省不少城市和地区出现了水资源供需矛盾,尤以许昌市最为突出。近几年黄河水断流愈演愈烈,1997 年黄河断流长达 226 天,已逼近我省濮阳、开封境内,更加剧供水紧张。水资源已成为我省国民经济和社会发展的重要制约因素之一,应采取对策,科学、合理地开发利用水资源,实现可持续发展战略。

三、应用高新技术,实现水资源可持续利用

自然科学从生命支持系统的角度,提出人类的可持续发展"应以地球承载能力为限度"、"既满足当代人的需要,又不损害后代人的满足其需求能力的发展"。水资源已成为我省国民经济和社会发展的重要制约因素,应认真探索合理利用水资源、减轻灾害、保护生态环境、保障人类生存需要这样一个极其重要的问题,为实现可持续发展战略服务。研究的重点建议放在如下几个方面:

(1)从水资源与产业体系关联的角度,论证水资源对经济发展的制约关系。通过各地区各部门耗水强度研究,从节水型工业的角度提出区域性需要优先发展的行业,以及应限制发展的高耗水、低产值的行业。通过地区产业结构现状与水资源调配的矛盾分析入手,进行水资源与产业体系最优化研究。构造综合考虑水资源、社会经济及多方面要素的经济管理模型,研究水资源在各产业部门的最优配置,以期获得最佳经济效益、环境效益和社会效益,为调整产业结构,建立节水型的区域经济,保障国民经济可持续发展。

(2)从水资源、水环境与社会经济相结合的角度,论证水资源、环境对国民经济持续、稳定、协调发展的支撑能力。以水资源支撑能力指数进行经济区划,为制定经济发展规划提供依据。水资源是自然资源之一。其对人口和经济发展也有一个承载能力问题,可称其为支撑能力。因此,从各地区水资源的客观自然规律出发,结合地区人口分布、工业分布、农业分布等社会经济的现状以及已有的经济规划,建立水资源支撑能力指数计算模型,通过支撑能力指数分区,实现水资源与环境经济区划,为建立地区节水型区域经济提出政策建议。

(3)从水资源制约型区域经济的角度,进行水资源管理研究。既重视水资源制约下的区域经济发展特点,又重视节水型区域经济的水资源配置与开发利用。实行地表水与地下水结合,开源与节流结合,发挥正效应与防止负效应相结合,就能够较好地解决协调发展问题。在社会主义市场经济条件下,利用经济手段、法律手段、行政手段和技术手段相结合,加强水资源管理工作,则是实现社会经济可持续发展的保证。

(4)要改变多头管水、各取所需、各自为政的管理局面,实行资源权属统一管理和开发利用分部门管理相结合的原则。省水行政主管部门应组织有关部门,共同编制近期和中长期水资源合理开发、综合利用、全面节水、加强保护的规划,为领导决策提供依据。

(5)把节水作为一项重要政策,长期执行。我省不少城市和地区水资源短缺是一个很难根本改变的客观条件,要切实推行节约用水措施,建立节水型社会。水源不足的城市应控制发展规模。缺水地区应严格限制发展耗水量大的工业。计划部门审批建设项目,不仅要审批水源设计和处理污水设施,同时,还应审查水资源利用的合理性和承受能力,以及产品结构是否适应该地区水资源条件。缺水地区应大力发展旱作农业。农田灌溉逐步向管道化发展,大力推广喷灌和滴灌等节水新技术。要合理调整提高工业和城市用水水价,逐步实施包括农业在内的供水商品化,以促进节水。在有条件的城市,应逐步推行分

质供水、以质论价的办法,优质水(如郑州市中深层优质矿泉水)首先满足居民饮用。

(6)建立城市饮用水源地(包括地下水和地表水)保护区应作为各级政府一项重点工作。既要保护水质,也要维持水量平衡。颁布水源保护区管理条例,对水、土、林、工农业、城市供水、旅游等进行综合规划与整治。建议此项工作列入各级政府"九五"计划期间办实事的目标之一,力争抓出成效来。

(7)要十分重视"地下水库"的建设和管理。由于河流的泛滥改道,我省平原区约60m深度内形成了约6万 km² 面积的山前冲洪积扇和平原地下古河道,可统称"地下水库"。具有补给充沛、水量大、水质优、水温适宜、易开发、蒸发量小、不易污染等特点。该区多年平均浅层地下水可采资源量每年达156亿 m³,目前实际开采量约100亿 m³,每年约有40亿 m³ 的地下水资源消耗于蒸发,故不少地区尚有开采潜力,应增打新井和修复旧井,合理开采,将地下水位埋深调控在汛前5~6m、汛后3~4m的最佳状态,以防地下水大量蒸发,这是综合治理黄淮海平原旱涝盐碱,实现井灌园田化的重要途径。在一些地下水位下降漏斗区,应注意合理开采,并积极补源。

(8)做好黄河水资源的科学开发利用与保护。我省沿黄河两岸已发展引黄灌溉和补源面积约67万 hm²,平均每年引黄河水30多亿立方米。郑州、开封等沿黄城市及中原油田等,主要靠黄河供水。黄河水泥沙含量大、泥沙处理费用大、占地多、水源不稳定,一旦上游出现恶性水污染事故,就会直接威胁黄河水质。如1988年4月陕西省华县境内的金堆城钼业公司粟西尾矿泄洪洞发生塌陷泄漏特大污染事故,使我省卢氏、洛阳、巩县境内河流水质严重污染,损失约2 000万元就是一例。大量水文地质勘察试验资料说明,郑州、开封、新乡等市黄河两侧埋藏丰富的浅层地下水资源,直接受黄河水居高临下侧渗补给,一口60m深的井日出水量可达4 000m³ 左右,水清砂净,不易污染,水量稳定,可作为沿黄城市开发的良好水源地。郑州、开封等沿黄城市应尽快制订一旦黄河断流及恶性水污染事故发生时的应急供水方案,做到引黄河水和开发地下水相结合。此外,应大力发展引黄灌溉,利用黄河故道引黄输水,补充商丘等市和东部平原水资源之不足。

(9)建设"水源森林"应列为我省一项重要战略工程。保水最有效的手段之一是爱护和增加植被,以涵养水源。在广大平原区应进一步建设好农林园田化。在山区和山前应建设密集林带,其一,可以增大水资源涵蓄量,集中降水期的弃水可通过密集林带拦截、调蓄到地下,增大补给量;其二,起到分洪作用,可明显减轻下游平原区的涝灾。我曾到澳大利亚堪培拉等地考察建设密集林带养蓄水源取得成功的实例,既增大了丘陵山区降水的就地调蓄,也减轻了下游平原区的土壤盐碱化。我们投入不少资金建设山区水库固然必要,但建设"水源森林"也是意义重大的。而在豫南易涝大平原的上游建设"水源森林"更应先行一步。这样,山前通过水库、"水源森林"拦蓄降水补充地下水,平原搞好水平排水,发展井灌,腾出地下蓄水库容。实施之后必将大大调控和减轻豫南平原区的涝灾程度。

(10)建设水资源地下调蓄系统。地下含水层储能是一项新兴的科学技术,世界许多国家都在推广应用。如美国加州就有几百处的地下调蓄工程,加州平原的地下水回灌量每年达十几亿立方米。沙特阿拉伯和以色列成功地拦水将洪水蓄存在"地下水库"中。我省已建山区水库有较多的弃水还未控制利用,弃水水质通过水库澄清沉淀符合河道和砂石坑回灌的水质要求,在有利的调蓄地段,如安阳河冲洪积扇,洛阳伊洛盆地、郑州、开封、新乡市沿黄地段等,因为距地表水库和黄河水近,弃水水源不需复杂的引水工程,便可通过现有河道及冲积扇扇顶砂卵砾石输水又兼入渗,技术上可行,经济上合理。在这些地段应扩大开采,既解决当前缺水之需,又为今后进行水资源地下调蓄提早腾出较大的库容,是两者兼之可行的措施。应对南水北调中线方案沿线拟建调蓄地下水库的可行性进行调查与评估。我认为将水资源地下调蓄作为一种有效的供水措施,是水资源科学管理与保护的一种有效的手段,应因地制宜大力推广应用。

(11)下大力气做好水污染防治。就全省而言,水、气、渣、噪声污染,以水污染最重。故应突出水环境的保护,作为"九五"计划期间环保工作的重点。城市应制定污水综合治理规划,搞好综合集中治理与分散单项治理相结合。划分不同水体功能保护区(段),对污染物排放实行总量控制。根据"谁污染谁治理,谁受益谁补偿,谁破坏谁恢复"的原则,着眼于源头控制,建设城市污水集中处理厂,新建工程要坚决执行"三同时"的规定。大力发展利用土地处理废污水的新技术,我们已在开封进行室内模拟试验和中试工程,获得良好的污水处理效果。应在城市建设维护费中拿出一定比例的资金用于城市水污染防治,城市在征收自来水费时一并征收下水道排污费用,用于排水设施的更新、改造和维护运行,增大城市污水处理能力,增加可用水源。各级人民政府的其他部门都应根据各自的职责,积极协同环境保护部门对水污染防治实施监督管理,应将当地的水环境质量是上升了,还是下降了,作为评价政府环保工作的重要指标。全社会共同努力,保护好水资源,为经济建设服务,为人类造福。

(本文为 1998 年 3 月"河南省发展高新技术产业对策研讨会"交流材料)

城市污水资源化可行性分析(摘要)

一、基本情况

河南省 1999 年城市和县镇的工业废水和生活污水排放量为 20.41 亿 t。2000 年全省废污水排放量为 22.77 亿 t。

城市污水主要来自工业废水和生活污水。河南省城市污水量中,工业废水和生活污水约各占一半。这些废污水未经处理排入受纳水体,造成地表水体和地下水污染。而水是可再生资源,因此污水处理与回用潜力极大。

目前,世界上不少城市把处理过的城市污水和废水回用到各个方面,已成为开发新水源的途径之一,有人称之为"第二水源"。城市污水经过处理后可以用于农田灌溉、工业、市政或人工补给地下水源,是解决水资源供需矛盾十分重要的途径。

城市污水的再生利用本身蕴含着合理性和必然性。其合理性表现在,城市污水再生利用过程是水的自然再生循环过程的模拟和强化。其必然性表现在,城市用水的严重紧缺和水资源可持续利用的客观需求,要求人们将污水加以净化处理和重新利用。

《河南省地下水保护行动计划》和《开封市城区地下水资源控制开采与保护研究》,规划污水资源化主要用于农业灌溉、城市河道景观用水、市政杂用和工业用水。目的在于开辟新的可利用水源,压缩城市区和城郊区工业、生活和农业开采地下水量。把供水、用水、污水处理和污水回用联系起来,进行规划。

污水回用系统与外界环境关系及污水回用内部各子系统关系,见图1、图2。

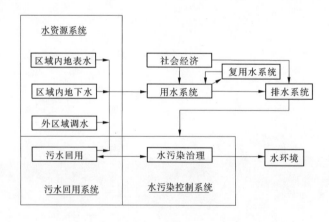

图 1　污水回用系统与外界环境的关系

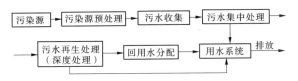

图 2　污水回用内部各子系统的关系

二、污水资源化可行性分析

(一)污水处理厂进、出水水质

河南省已建、在建和批准立项拟建的城市污水处理厂 20 余座,处理工艺为普曝法、三沟式氧化沟、卡鲁赛尔氧化沟、A/O 工艺、A—A/O 工艺。设计排放标准二级。污水处理能力 220 万 m³/d,进出水水质见表 1。

表 1　　　　　　　　　　河南省城市污水处理厂进、出水水质　　　　　　　　(单位:mg/L)

水质项目	进水水质	出水水质
生化需氧量 BOD_5	150～250	＜15～30
化学需氧量 COD_{Cr}	350～450	60～120
悬浮物 SS	150～300	＜10～30
总氮 TN	15～40	3～25
总磷 TP	1.3～6	1～6

(二)污水回用可行性分析

1.回用于农业灌溉

城市污水处理厂一般位于城市下游,可就近排入河流,一方面可以使已污染严重的河道得到冲淡稀释;另一方面可利用河水进行农田灌溉,这是污水资源化规划的首选对象,因为不需再进行深度处理。

污水灌溉农田应符合《农田灌溉水质标准》(GB5084—92),见表 2。

污水回用于农田灌溉其水质要求与多种因素有关,即污灌区的土壤质地,包气带土层厚度,地下水位埋深,以及不同种类的作物等都会影响对不同污染物在土壤及地下水中的迁移转化规律,对污灌水质提出不同要求。因此,应该根据污灌区条件对污水提出不同处理要求,并确定合理的污水灌溉定额。

2.回用于河道景观

目前,流经城市区的河道,均存在无水源和水质污染严重的生态环境问题,并造成了地下水亦受到一定程度的污染。加快城市区生态环境建设已是当务之急,而河道景观的改善是其重要内容之一。

根据《城市污水回用设计规范》(GBCS61:94)中对再生水用作市区景观河道用水时,其回用水质最高允许浓度参照表 3 确定。

序号	项目		水作	旱作	蔬菜
	表2	农田灌溉水质标准			(单位:mg/L)
1	生化需氧量(BOD₅)	≤	80	150	80
2	化学需氧量(CODcr)	≤	200	300	150
3	悬浮物	≤	140	200	100
4	阴离子表面活性剂(LAS)	≤	5.0	8.0	5.0
5	凯氏氮	≤	12	30	30
6	总磷(以P计)	≤	5.0	10	10
7	水温℃	≤	35		
8	pH值	≤	5.5~8.5		
9	全盐量	≤	1 000(非盐碱土地区) 2 000(盐碱土地区)有条件的地区可以适当放宽		
10	氯化物	≤	250		
11	硫化物	≤	1.0		
12	总汞	≤	0.001		
13	总镉	≤	0.005		
14	总砷	≤	0.05	0.1	0.05
15	铬(六价)	≤	0.1		
16	总铅	≤	0.1		
17	总铜	≤	1.0		
18	总锌	≤	2.0		
19	总硒	≤	0.02		
20	氟化物	≤	2.0(高氟区) 3.0(一般地区)		
21	氰化物	≤	0.5		
22	石油类	≤	5.0	10	1.0
23	挥发酚	≤	1.0		
24	苯	≤	2.5		
25	三氯乙醛	≤	1.0	0.5	0.5
26	丙烯醛	≤	0.5		
27	硼	≤	1.0(对硼敏感作物,如:马铃薯、笋瓜、韭菜、洋葱、柑桔等) 2.0(对硼耐受性较强的作物,如小麦、玉米、青椒、小白菜、葱等) 3.0(对硼耐受性强的作物,如水稻、萝卜、油菜、甘蔗等)		
28	粪大肠菌群数,个/L	≤	10 000		
29	蛔虫卵数,个/L	≤	2		

污水回用河道景观一般有以下两种情况:

(1)允许人体接触的景观水体。包括允许划船、观赏喷泉(但禁止游泳)。

表 3   再生水用作市区景观河道用水的建议水质标准

项 目	标准值	项 目	标准值
pH 值	6.5～9.0	总磷* (mg/L)	夏季＜2,非夏季不控制
SS(mg/L)	30	铁(mg/L)	0.4
臭	无不快感	氯化物(mg/L)	350
BOD$_5$(mg/L)	20	总固体(mg/L)	1 500
COD$_{Cr}$(mg/L)	75	总大肠菌群数(个/L)	10 000
氨氮*(以 N 计)(mg/L)	夏季＜10,非夏季＜20		

* 允许根据河道功能作适当调整。

（2）不允许人体接触的景观水体。包括允许垂钓及观赏性活动的景物河道地表水体。

对于景观水体,要严格考虑污染物对水体美学价值的影响,因此处理工艺在二级处理的基础上,必须包括除磷、过滤、消毒,一方面降低 COD$_{Cr}$、BOD$_5$、SS,减轻水体的有机污染,防止黑臭影响美学效果;另一方面,控制富营养化程度,提高水体的感观效果;此外,还需满足卫生要求,保证人体健康。

建议的景观回用水质标准如表 4 所示。

表 4   污水回用于景观水体推荐标准

项 目	标 准 值
1. 感观性指标	
漂浮物	不明显可见
臭和味	无不快感觉
色度	＜10 度
浊度	＜10 度
2. 水质常规指标	
pH 值	6.6～9.0
BOD$_5$	≤10mg/L
COD$_{Cr}$	≤50mg/L
SS	≤10mg/L
3. 化学毒理性指标	参照地面水环境质量标准中Ⅳ、Ⅴ类水域的指标
4. 营养盐含量	
TP	＜0.5mg/L
TN	＜100mg/L(采用脱氮工艺)
	＜20mg/L(采用传统三级处理)
5. 卫生学指标	
总大肠菌群	≤500 个/L(人体可接触)
	≤10 000 个/L(人体不可接触)
细菌总数	≤100 个/mL(人体可接触)
30min 余氯	≤0.5mg/L,喷灌
	≤0.1mg/L,其他

所以一般要在二级污水处理基础上再进行深度处理,以保证河道景观用水水质要求。

3.回用于生活杂用

生活杂用水一般指厕所便器冲洗、城市绿化、洗车、扫除等生活杂用水,即非饮用,一般不与人体直接接触的低质用水。

《生活杂用水水质标准》(GJ25.1—89)见表5。

表5　生活杂用水水质标准

项　　目	厕所便器冲洗,城市绿化	洗车,扫除
浊度(°)	10	5
溶解性固体(mg/L)	1 200	1 000
悬浮性固体(mg/L)	10	5
色度(°)	30	30
臭	无不快感觉	无不快感觉
pH值	6.5～9.0	6.5～9.0
BOD_5(mg/L)	10	10
COD_{Cr}(mg/L)	50	50
氨氮(以N计)(mg/L)	20	10
总硬度(以$CaCO_3$计)(mg/L)	450	450
氯化物(mg/L)	350	300
阴离子合成洗涤剂(mg/L)	1.0	0.5
铁(mg/L)	0.4	0.4
锰(mg/L)	0.1	0.1
游离余氯(mg/L)	管网末端水不小于0.2	
总大肠菌群(个/L)	3	3

4.回用于工业用水

再生水回用于工业冷却水时,其回用水质最高允许浓度标准可参照表6。

表6　再生水用作冷却用水的建议水质标准

项　　目	直流冷却水	循环冷却补充水
pH值	6.0～9.0	6.5～9.0
SS(mg/L)	30	—
浊度(°)	—	5
BOD_5(mg/L)	30	10
COD_{Cr}(mg/L)	—	75
铁(mg/L)	—	0.3
锰(mg/L)	—	0.2
氯化物(mg/L)	300	300
总硬度(以$CaCO_3$计)(mg/L)	850	450
总碱度(以$CaCO_3$计)(mg/L)	500	350
总溶解固体(mg/L)	1 000	1 000
游离余氯(mg/L)	—	0.1～0.2
异养菌总数(个/mL)	—	$5×10^5$

再生水用作生产工艺用水、锅炉用水时,其水质应达到相应的水质标准。

5．人工回灌(补给)地下水

为了扩大地下水的可利用量,充分发挥含水层的调蓄功能,达到丰储旱用的目的,近20年来,各国对人工调蓄新技术的应用极为重视,突出的进展是利用人工补给开发地下库容。目前美国人工补给已占其总取水量的30％,前联邦德国20个大城市的取水工程,人工补给地下水数量占40％,前苏联有30多处取水工程建立了专门的人工补给系统。

这些国家的经验证明,通过对地下水的人工调蓄,对解决地下水过量开采、改良水质、排水回收利用、废水处理、阻止海水入侵、防止地面沉降、含水层储冷储热、控制地震等均有重大作用,被公认为解决水资源不足最经济合理方法之一,具有十分广阔的发展前景。上海市、郑州市等城市也取得了人工回灌地下含水层储能的试验研究及开发应用的成功。河南省山前冲洪积扇分布区及广大平原区,具有良好的入渗条件,地下水位下降已形成大面积的降落漏斗,使地下含水层有较大的储水空间,地下水人工回灌条件较好,也是增辟水资源的有效途径之一,应进行试验研究及推广应用。表7列出了北京市地下水人工回灌水质控制标准,可作为参考。

表7　　　　　　　　　　北京市地下水人工回灌水质控制标准

序号	项　目	控制指数		序号	项　目	控制指数	
		指标	单位			指标	单位
1	浑浊度	10～20	度	16	锌	5～15	mg/L
2	颜色度	40～60	度	17	磷酸盐		
3	高锰酸盐指数	15～30	mg/L	18	硫酸盐	250～350	mg/L
4	铁	0.3～1	mg/L	19	硝酸盐	50 左右	mg/L
5	酚	0.002～0.005	mg/L	20	六六六	0.05	mg/L
6	氰	0.02～0.05	mg/L	21	滴滴涕	0.005	mg/L
7	汞	0.001	mg/L	22	大肠杆菌	1 000	MPN/10mL
8	镉	<0.01	mg/L	23	细菌总数	1 000～5 000	MPN/100mL
9	重油	0.005～0.001	mg/L	24	有机磷	0	
10	石油	0.3	mg/L	25	水温	<30	℃
11	表面活性物质	0.5	mg/L	26	pH 值	6～9	
12	铬(六价)	0.05～0.01	mg/L	27	硬度	不超过当地地下水德国度	
13	铅	0.05～0.1	mg/L	28	氧化物	为天然潜水的稀释	
14	铜	3.0	mg/L	29	总矿化度	不高于当地地下水指标	
15	砷	0.05～0.1	mg/L	30	氯化物	<1.0	mg/L

应该指出的是,目前城市污水处理厂一般都为二级处理,其出水水质可满足农田灌溉水质要求,但尚不能满足城市河道景观、人工回灌等水质要求。故应在二级污水处理厂的基础上,根据污水处理回用对象及回用需求量,因地制宜规划建设污水深度处理厂,并选择合理的处理工艺,以达到增辟城市回用水资源的目的。

(2002 年 5 月)

郑州市城市应急供水方案与对策研究

一、研究的必要性

郑州市城市地处中原,北临黄河,西部及西南部为山地丘陵,东部为黄河冲积平原。

据《1998 年河南城乡建设统计资料汇编》:郑州市城市面积 1 010.30km²,建成区面积 119.79km²,城市人口 197.61 万人,其中非农业人口 140.19 万人。随着经济的发展,人口的增加,城市化水平的提高,用水量增加同水资源短缺的矛盾较为突出。郑州市约 3/4 的供水量取自黄河水,黄河花园口水文站 1990～1997 年 8 年平均径流量较多年平均径流量减少 40.8%;近年来,黄河断流形势严峻,已逼近开封附近;黄河水质已受到污染,邙山、花园口断面一般均为地面水Ⅳ类水质标准;黄河水突发性污染事故时有发生,使黄河水受到严重污染,超地面水Ⅴ类水质标准;由于城市区大量集中开采地下水,已形成较大面积的浅层水和中深层水水位下降复合漏斗;还存在水质污染等水环境负效应和水资源开发利用中亟待解决的问题。水资源可持续开发利用已成为郑州市实现可持续发展十分重要的方面。研究并提出黄河(郑州市城市段)一旦发生断流或严重水污染,而失去供水意义时的郑州市城市应急供水方案与对策,有重要现实意义。

二、水资源条件及开发利用现状

(一)地表水资源

郑州市地表水资源主要为黄河水。黄河从城市北部流经市区段长约 36km。据花园口水文站实测,黄河多年平均径流量 458.8 亿 m³,最小年径流量 283.7 亿 m³(1928 年),最小日流量 18.8m³/s(1981 年 6 月 5 日)。黄河水年平均含沙量 27.81kg/m³,最大日含沙量 546kg/m³(1977 年 7 月 10 日)。

郑州市自 1970 年开始引用黄河水,先后建成邙山提灌站和花园口提灌站引黄供水工程。

1.邙山提灌站—西流湖—柿园水厂

邙山提灌站于 1972 年 10 月 1 日竣工通水。装机 18 台,分两级提水;总扬程 86m,一级泵站设计 10m³/s,其中 2m³/s 由二级泵站提水,上邙山供人畜饮用;8m³/s 通过一级泵站出口后,进入 24.5km 长的输水总干渠,大部分水经沉沙后在新庄村进入西流湖,成为柿园水厂的主要水源。1977～1998 年 22 年间,平均日供水量为 33.39 万 m³。

平时黄河水量较充沛时,可通过西流湖压入常庄水库和尖岗水库进行地表水人工调蓄;遇枯水季节,黄河水源紧张时,则可将这两个水库的蓄水,通过河道和管道,输入西流湖,再通过柿园水厂向城市供水。

2.东大坝提水站—花园口水源厂引水工程—白庙水厂

1978 年在花园口引黄闸后兴建提水站一座,即东大坝提水站,也就是花园口水源厂引水工程。设计提水量 10.5m³/s,一次抽升过坝,经核桃园东调蓄池入地下管道,沿郑花公路东侧入市白庙(第二)水厂;东大坝提水站与白庙水厂同时修建,引黄河水进入沉沙池(容量 18 万~20 万 m³)⟹调蓄池(容量 350 万 m³)⟹白庙水厂清水池⟹白庙水厂。1977~1998 年 22 年间,平均日供水量 14 万 m³。

(二)地下水资源

1.地下水资源量

(1)浅层水(<60m)。评价区面积 983.25km²,丰、平、枯水年份全区浅层水可采资源量分别为 11 728.12 万 m³/a、8 524.39 万 m³/a、5 261.83 万 m³/a;在浅层水蒸发量可被夺取的条件下,多年平均全区浅层水可采资源量约为 8 500 万 m³/a。计算在 77% 保证率条件下浅层水潜力资源(可采资源减去已采资源)为 9 394.84 万 m³/a,主要分布在"九五"滩地(4 526 万 m³/a)、北郊水源地(7 475.2 万 m³/a)两个黄河傍河集中开发地下水水源地。

(2)中深层水(60~350m)。在 77% 保证率条件下,全区中深层水可采资源量为 12 113.78万 m³/a,潜力资源为 784.36 万 m³/a(2.15 万 m³/d),主要分布在北郊近黄河地段。城市区及其外围区已处于超采状态,并形成较大面积的中深层水位降落漏斗,已无开采潜力。

在现状开采条件下,全区浅层水总补给量 18 747.51 万 m³/a 中,有 44% 的补给量越流补给中深层水,中深层水年补给量中的 82.9% 为浅层水越流补给。

(3)深层水(350~800m)。深层水的可采量主要为周边侧向径流补给和弹性释水。根据郑州市深井井孔结构和含水层富水性,在不出现吊泵或抽不出水的情况下,单井出水量控制在 30m³/h 以内,确定最低水位标高在 0m 左右,最大水位埋深 100m 左右时:

城市区面积 78km²,已采资源 350.24 万 m³/a,可采资源 120.09 万 m³/a,潜力资源量为 -230.15 万 m³/a。

城市外围区面积 270km²,已采资源 133.79 万 m³/a,可采资源 580.71 万 m³/a,潜力资源 446.92 万 m³/a。

(4)超深层水(800~1 200m)。研究区深层水与超深层水之间有相对稳定的隔水层,含水层为非均质、各向同性承压含水层,开采条件下,地下水可开采量主要为周边侧向补给量和弹性释水量。将 2010 年超深层地下水位控制水位标高在 0m 左右,已采资源 71.78 万 m³/a,可采资源 136.89 万 m³/a,潜力资源 65.11 万 m³/a。

2.地下水开发利用现状

(1)"九五"滩地下水——石佛水厂。"九五"滩地下水源地为黄河傍河取水,位于郑州西北黄河大堤北 95m 高程滩区内。据河南省地矿部门提交的供水水文地质勘察报告:黄河大堤北 30km² 范围内,浅层地下水(深度 80m)可开采量为 10 万 m³/d,中深层地下水(深度 115~150m)可开采量为 2.4 万 m³/d。现有供水井 32 眼,其中浅井 17 眼,中深井

15 眼;设计开采量为 10 万 m^3/d,"九五"滩地下水通过约 12km 长暗管,送往石佛水厂,经净化处理后向市区西北部供水。1998 年 6～12 月,向市区供水 706.99 万 m^3。现状日供水量 3 万 m^3 左右。

(2)井水厂供水。郑州市自来水公司井水厂始建于 20 世纪 60 年代中期,在市区已建有供水井 29 眼,均为中深井,井深 178～236m,1982～1998 年供水量 670.65～1 596.91 万 m^3/a,17 年平均供水量 1 207.78 万 m^3/a,即 3.31 万 m^3/d。

(3)花园口水源厂调蓄池截渗井供水。花园口水源厂引水工程建有调蓄池,围堤顶宽 6m,底宽 50m,高 6m,全长 3 700m,占用土地 86.7hm^2,总容量 350 万 m^3。为控制地下水位抬高,防治涝碱灾害,在调蓄池周围建 12 眼截渗井,井深 60m,日可开采量 3 万 m^3。需要时抽取地下水可由直径 600mm 输入管道,长 12.8km,直接输入白庙水厂清水池。

(4)北郊地下水水源地——东周水厂。郑州市北郊花园口以东、黄河大堤北滩地及黄河大堤南侧 43.5km^2 内,设计建井 72 眼,其中 80～100m 深度浅层微承压水井 52 眼,250～300m 中深层承压水井 20 眼,设计供水量 20 万 m^3/d。河南省地矿部门 1995 年提交的《河南省郑州北郊水源地供水水文地质勘探报告》,评价浅层水可采资源量为 20 万 m^3/d,中深层水允许开采量 5.56 万 m^3/d。国家储委批准浅层水 B 级储量 16 万 m^3/d,中深层水 C 级储量 4 万 m^3/d。现已建成 20 万 m^3/d 供水能力水源地。经输水管道引水至郑州市东南郊崔庄东周自来水厂向市区供水。

(5)市区自备井供水。市区共有自备井 751 眼,其中井深<60m 的浅井 68 眼,60～350m 的中深井 532 眼,350～800m 的深井 104 眼,井深>800m 的超深井 47 眼。自备井分布 421 个单位。1971～1998 年中深层水平均开采量为 6 375.71 万 m^3/a(17.47 万 m^3/d)。

三、从城市应急供水角度评价水资源开发利用存在的问题

(一)黄河河道萎缩

据黄委会水文局研究资料表明,黄河河道萎缩现象十分明显。自 1982 年以来,黄河未发生过全河性较大洪水,1986 年以后,黄河出现连续枯水枯河系列。花园口水文站 1990～1997 年平均年径流量较多年平均径流量减少率达 40.8%,输沙量减少率 36.7%,其中汛期 8 年平均径流量较多年平均径流量减少 54.9%,输沙量减少 37.6%。

黄河径流量的减少,造成主槽淤积严重,1990～1997 年 8 年间,花园口—高村河段淤积泥沙 14.1 亿 t,占黄河下游总淤积量的 70%以上。由于该河段为游荡型河段,水势变化不定,存在引水渠道淤积和引水量无法保证的问题;漫滩流量减少,主槽过洪能力下降;同流量水位偏高,在 3 000m^3/s 条件下,1998 年花园口水文站水位较 1990 年抬高 1.30m;汛期洪水小,次数多,使水流的造床能力和河道输沙能力减弱。

(二)黄河下游断流突出

1972～1997 年的 26 年中,黄河下游共有 20 年发生断流,平均每 5 年就有 4 年断流。

花园口水文站以下各站均有断流记录。其中,河南省境内夹河滩站有 3 年 4 次断流,共计 24 天。1997 年,断流从河口上延至夹河滩站以上的开封柳园口附近,断流长度达 700km, 占整个下游河道的 91% 以上。

(三)黄河花园口河段水质污染较严重

黄河花园口河段(花园口)水质污染较严重,常年水质以Ⅳ类水为主。黄河水突发性水污染事故时有发生。如:1999 年 1 月份,黄河干流大部分河段污染严重就是一例。黄河流域水资源保护局各水质监测中心 1999 年 1 月份的监测结果表明,黄河中下游断面的水质全部超过Ⅴ类水质标准,以Ⅲ类水质标准评价,主要超标因子为化学需氧量、石油类、氨氮、挥发酚、高锰酸盐指数、非离子氨。郑州花园口断面上游的新蟒河东平滩断面、老蟒河索余会断面、沁河武陟断面化学需氧量分别超标 5.2 倍、145 倍和 520 倍。由于黄河干流水质污染普遍严重,黄河小浪底水利枢纽工程导流洞上下长达 3km 的河床已成红褐色的水体,散发刺鼻的气味。最严重的为白色泡沫从导流洞一直漂浮至孟津大桥之下。此时测得小浪底导流洞入口、消力池、小浪底工程大桥断面的水体化学需氧量高达 78.4 mg/L,超过国家地面水环境质量标准Ⅴ类标准的两倍之多,水质污染形势非常严峻。

(四)避沙峰停机抽水年年发生

在黄河水含沙量过高的时段,不得不采取避沙停机抽水措施,以避免抽水设备损坏和输水渠道泥沙大量淤积而影响工程质量。邙山提灌站 1988～1998 年,每年都避沙停机抽水,均出现在 7 月或 8 月,年避沙停机提水时间 8～24 天,1990 年最长达 24 天。11 年平均每年避沙停机提水 16.6 天。利用邙山提灌站黄河水作为水源的柿园水厂,平均向城区供水量为 33.39 万 m^3/d,由于避沙停机抽水,不得不调用尖岗水库和西流湖水库的储水量。

(五)地表水库天然来水量(蓄水量)减少

以尖岗水库为例,水库来水量逐年减少:1971～1980 年为 2 316 万～4 599 万 m^3/a, 1981～1990 年为 1 234.6 万～2 477 万 m^3/a,1991～1998 年为 417.3 万～1 336.9 万 m^3/a。

(六)供水井布局不合理

郑州市城区供水井布局不合理,存在"三集中"现象。首先是开采层位集中,市供水节水办公室管理覆盖范围内 70.83% 的供水井集中开采中深层水(60～350m 深度);二是开采区集中,主要集中在棉纺区、布厂街、二里岗、南阳路及火电厂周围。郑棉一、三、四厂一带,中深层供水井密度最大,为 33 眼/km^2,开采模数高达 446.05 万 $m^3/(km^2 \cdot a)$,而在东大街、西大街、二砂、郑大等地区,机井密度最小,仅为 2 眼/km^2,开采模数仅有 6.28 万 $m^3/(km^2 \cdot a)$;三是开采时间集中,用水高峰 5～9 月,开采量占全年开采量的 50% 以上。长期"三集中"开采中深层水,已导致产生较大面积的中深层地下水和浅层地下水水位下降的复合漏斗。

(七)地下水水质局部污染

(1)浅层水。大部分地区为水质良好的饮用水源,占总面积的 90%。老城区东部燕庄一带、祭城周围、柿园、古荥镇以东薛岗、铁炉寨至岗李一带浅层地下水,均不同程度地受到污染,局部污染较重,已不能做生活饮用水。水质超标因子主要有总硬度、铁、耗氧量,约占总面积的10%。

(2)中深层水。水质优于浅层水,大部分地区未受污染,可做生活饮用水源。仅化肥厂、电器厂、市玻璃厂及东周部队等地带,地下水污染较重而不宜饮用,水质超标因子主要有总硬度、铁、氨氮、六价铬,约占总面积的3.3%。

四、城市应急供水水源

(一)郑州市应急供水水源概念

郑州市应急供水是指黄河失去供水水源意义时的城市供水。即:一谓黄河水郑州段发生断流,邙山提灌站和花园口水厂不能引用黄河水;二谓黄河水郑州段水质严重污染,影响城市正常供水。出现以上紧急情况时,城市区可利用的其他水源为城市应急供水水源。

(二)城市应急水源及可供水量

(1)黄河傍河地下水水源地满负荷开采,总供水量33万 m^3/d。包括:"九五滩"——石佛水厂供水量10万 m^3/d;东周水厂供水量20万 m^3/d;花园口水源厂调蓄池12眼截渗井供水量3万 m^3/d。

(2)市区井水厂29眼供水井满负荷开采,供水量4万 m^3/d。

(3)市区714眼自备井加大开采,供水量20万 m^3/d。

(4)应急供水井。规划应急供水井68眼,平均单井出水量40m^3/h,每日开采16小时,则计算可供水量为4.35万 m^3/d。

(5)尖岗、常庄水库调蓄量引至柿园水厂供水,两座水库的总库容5 623万 m^3 储水能力,考虑到防汛要求,两座水库储水4 000万 m^3 完全可行。1995~1998年从西流湖柿园水厂压入水库的储水量为1 007万~1 845万 m^3/a,平均1 394.10万 m^3/a。应急供水时可动用储水量1 400万 m^3。

(6)花园口水源厂调蓄池300万 m^3 蓄水量。

以上各种供水水源中,地下水可供水量61.35万 m^3/d,水库储水可供水量1 700万 m^3。

五、应急供水水资源供需平衡分析

(一)应急供水需水量

1.生活用水量标准的确定

1998年郑州市人均日生活用水量238.34L。1998年开封、新乡、鹤壁、焦作、许昌、济源 6 个城市人均日生活用水量均小于 150L,平均为 125.72L。应急供水期间,政府及有关部门将要求全民采取措施限量、节约用水。参考上述有关城市的资料,确定郑州市应急供水时的生活用水标准为 130L/(d·人)。

2. 应急供水需水量

(1)方案一:即现状需水量。生活需水量 47.1 万 m^3/d,工业需水量 45.1 万 m^3/d,农业需水量 57.3 万 m^3/d,合计需水量 149.5 万 m^3/d(引自河南省水利厅《1998 河南省水资源公报》)。

(2)方案二:即保生活用水,标准为 130L/(d·人),削减 20% 工业用水,削减 50% 农业用水。生活需水量 26 万 m^3/d,工业需水量 36 万 m^3/d,农业需水量 29 万 m^3/d,合计需水量 91 万 m^3/d。

(3)方案三:即保生活用水,标准为 130L/(d·人),削减 20% 工业用水,削减 80% 农业用水。生活需水量 26 万 m^3/d,工业需水量 36 万 m^3/d,农业需水量 12 万 m^3/d,合计需水量 74 万 m^3/d。

(4)方案四:即保生活用水,标准为 130L/(d·人),削减 20% 工业用水,停止农业用水。合计需水量 62 万 m^3/d。

(二)水资源供需平衡分析

(1)方案一:总需水量 149.5 万 m^3/d,地下水可供水量 61.35 万 m^3/d。需尖岗、常庄水库及花园口调蓄池供水量为 88.15 万 m^3/d。尖岗、常庄水库及花园口调蓄池供水量 1 700 万 m^3,则可保证供水 19 天。

(2)方案二:总需水量 91 万 m^3/d,地下水可供水量 61.35 万 m^3/d。需尖岗、常庄水库及花园口调蓄池供水量 30 万 m^3/d。尖岗、常庄水库及花园口调蓄池总储水量 1 700 万 m^3,则可保证供水 57 天。

(3)方案三:总需水量 74 万 m^3/d,地下水可供水量 61.35 万 m^3/d,需尖岗、常庄水库及花园口调蓄池供水量 13 万 m^3/d。尖岗、常庄水库及花园口调蓄池总储水量 1 700 万 m^3,则可保证供水 131 天。

(4)方案四:当应急供水时间延长时,势必造成尖岗、常庄水库及花园口调蓄池不能向城市供水。届时,只能采取非常应急供水措施,停止农业供水,确保城市生活和工业供水,总需水量为 62 万 m^3/d,地下水可供水量 61.35 万 m^3/d,水资源供需基本平衡。

六、应急供水地下水位预测

(一)应急供水时水资源条件的主要变化

(1)黄河断流时北郊地下水水源地和"九五滩"地下水水源地的黄河侧渗补给量明显减少,趋近于 0。

(2)市区范围内应急供水井开采量预计 28 万 m^3/d(井水厂 4 万 m^3/d、自备井 20 万 m^3/d、应急供水井 4.35 万 m^3/d),超过现状开采量 11 万~12 万 m^3/d。

(二)应急供水时地下水位预测分析

1.北郊地下水水源地

引用《河南省郑州北郊水源地供水水文地质勘探报告》有关内容。

(1)面积347.75km²,北至黄河水边线;南到东风渠;东至中牟万滩的赵口引黄西干渠;西至黄河迎宾馆。

(2)现状条件下黄河侧渗补给量占总补给量48.30万m³/d的9.74%;开采条件下双排布井黄河侧渗补给量占总补给量52.71万m³/d的34.37%。单排布井黄河侧渗补给量占总补给量54.71万m³/d的35.51%。

(3)浅层含水层的容积储存量。计算全区浅层水总储存量为294 646.29万m³,是多年平均补给量的5倍。如此大的储存量,使地下水有较大的调蓄能力,动用部分储存量是完全可行的,所动用的储存量不仅在丰水期可以得到偿还,同时由于地下水位下降,还可以增加渗入量和减少排泄量,从而使地下水达到动平衡状态。

(4)黄河断流时浅层地下水位预测。据计算的结果分析,开采条件下黄河侧渗补给量仅占黄河平均流量的1/540,约占最小流量的1/16;再加上评价区浅层地下水的储存量达29.46亿m³,具有较大的调蓄能力,即使在黄河断流、无任何垂向补给的极端情况下,按48.02万m³/d(现有开采量加上允许开采量)开采,只要区域水位降深1.00m,动用储存量的1/42,即可开采利用145天。说明北郊水源地的应急供水开采量是完全有保证的。

2."九五滩"地下水水源地

该水源地位于北郊水源地的上游,水文地质条件、黄河侧渗补给条件及其他水均衡要素与北郊水源地十分相似。同样,当黄河出现断流时,其10万m³/d的应急供水量可动用部分储存量而得到保证。所动用的部分储存量在丰水期可以得到补偿,使地下水位达到动平衡状态。

3.城市区开采中深层水为主的水源地

应急供水时城市区自备井、井水厂、应急供水井的总开采量达28万m³/d,超过允许(合理)开采量11万～12万m³/d。城区及外围地区,浅层水、中深层水和深层水的潜力资源量之和为3.80万m³/d,故城区水源地缺水7万～8万m³/d。按应急供水15天计算,则总缺水量为105万～120万m³,相当于水源地允许开采量6 000万m³/a的1/50～1/60。动用的部分储存量丰水期基本上可以得到补偿。预测应急供水时,城市区地下水位不会出现明显的不可逆现象。

七、城市应急供水方案

(一)黄河水断流时,采用地下水和水库储水联合供水方案

即:满负荷开采61.35万m³/d地下水,根据需要调用尖岗、常庄水库和花园口水源厂调蓄池的部分储水量。根据黄河水情预报及分析前述水资源供需分析四种方案,由市应急供水指挥部研究决定实施何种应急供水方案。

(二)黄河花园口河段水质严重污染时的应急供水方案

1. 黄河水严重污染时傍河地下水水质保证程度评价

当出现黄河水郑州段水质严重污染而失去供水意义时,黄河傍河地下水水源地水质能否满足生活供水水质要求,这是实施城市应急供水方案的关键。

1999年1月,黄河花园口段水质严重污染,超地面水Ⅴ类水质标准。以Ⅲ类水质标准评价,郑州段黄河水化学需氧量超1.5倍,高锰酸盐指数超0.3倍,氨氮超2倍,石油类超13倍,挥发酚超1.4倍,非离子氨超1.7倍,细菌及大肠菌群严重超标。

而同期黄河傍河"九五滩"地下水水源地水质良好。用生活饮用水卫生标准(GB5749—85)、城市给水工程规划规范(GB50282—98)评价结果如下:

(1)铁、锰超标1倍,分析为地层原生环境背景值高所致。

(2)细菌总数超15倍。但地下水细菌总数远少于黄河水的细菌总数。

(3)其余33项均符合国家生活饮用水标准。

由此可认为:黄河水严重污染时,傍河浅层地下水尽管以黄河侧渗补给为主,但以有机污染为主的黄河水经过冲积成因的砂性土为主地层的自净、吸附等综合作用,地下水污染程度明显减轻。只要对地下水源中的铁、锰和细菌进行处理,可达到生活饮用水标准,能够满足城市生活饮用供水的水质要求。

2. 将污染的黄河水处理后供生产用水和地下水联合供水方案

在开采地下水首先满足人民群众生活饮用供水的同时,地表水源厂将污染严重的黄河水,经水厂处理后向市区供水,一般可作为工业冷却用水、循环用水、生产用水。以减轻生活饮用供水的压力。

3. 污水土地处理与浅井开采结合和地下水联合供水方案

地矿部门和开封市环保所曾在开封市进行了利用黄河冲积的砂土地,采用快速渗滤法取得了处理啤酒废水(以有机污染为主)的室内土柱模拟试验及现场中试试验的成功。

1)3m长土柱渗滤试验

(1)稳定水力负荷0.16m/d。

(2)COD去除率90%以上,入水COD600mg/L,出水56mg/L。

(3)BOD去除率98%以上,入水BOD459mg/L,出水8.4mg/L。

2)现场小型工程试验

(1)水力负荷0.2m/d。

(2)COD去除率94%以上,入水COD900mg/L,出水50mg/L。

(3)BOD去除率95%以上,入水BOD329mg/L,出水4mg/L。

3)工业性中间试验工程

(1)水力负荷0.15m/d。

(2)COD去除率98%以上,入水COD767.04mg/L,出水15.3mg/L。

(3)BOD去除率96%以上,入水BOD445.6mg/L,出水15.0mg/L。

省环境水文地质总站对郑州市东南郊砂土地处理城市污水场地适宜性进行综合评价,结果表明:采用美国快速渗滤法(RI)场地适宜性标准评价,郑州市东南郊砂土地综合鉴定系数在25～35之间,均大于25的中等适宜标准,完全适宜于快速渗滤(RI)处理城市污水,是快速渗滤处理污水的理想场地。

郑州市北部广泛分布黄河冲积的砂性土地,故可以采用快速渗滤、慢速渗滤或漫流土地处理技术。应急供水时,可将污染的黄河水输送至一定面积的砂性土地上⇒土地净化(过滤和渗滤)⇒入渗补给浅层地下水⇒浅井抽用达标的浅层地下水。因浅井施工方便,成本低,技术成熟,故易于推广应用。

八、城市应急供水对策

(一)制订、落实《郑州市城市应急供水预案》

应急供水是指黄河花园口河段出现断流状态或黄河花园口河段水质严重污染而失去供水意义时,柿园水厂和白庙水厂不能正常供水,为了确保社会稳定,减少损失,而采取不同于正常供水情况的应急供水行动。为了保障郑州市应急供水高效、有序地进行,应制订《郑州市城市应急供水预案》,经郑州市人民政府批准后实施。在郑州市人民政府应急供水指挥部的指挥下开展工作。郑州市应急供水范围为市区自来水管网覆盖范围内。

应急供水指挥部下设办公室,办公室设在郑州市公用事业局。由市公用事业局、市供水节水办公室、市自来水总公司、市水利局、市环保局、市卫生防疫站等共同组成。

应急供水指挥部下设:水情动态组、供水工程抢险组、卫生防疫组、治安管理组、应急保障组、宣传报道组、企业经济组。根据明确的职责分工开展工作。

(二)应急供水期间采取非常措施

(1)在城市区实行限时、限量或分区轮换供水。将人均日生活用水量控制在130L。

(2)调整工业用水,对耗水量大、社会影响较小的企业,实行限产或停产。按不同阶段分别削减20%、40%的工业用水量,确保重点企业及效益好的企业供水。

(3)挖掘蓄水工程的死库容,允许超采地下水。

(4)限制郊区农灌用水量。增建临时工程,开辟临时水源,打井或利用其他水源,确保城区生活、重要厂矿企业、重要单位和生命线工程的供水。

(三)加快建设东周水厂

开发利用北郊黄河傍河丰富的地下水资源,尽快形成日采20万 m^3 的供水规模。

(四)科学调整城市区供水量

根据黄河水资源随机性较大,地下水资源相对比较稳定的特点,实行地表水资源与地下水资源联合调度供水。在丰水年份尽量多用地表水资源,并设法补充地下水资源,限制开采地下水资源,使地下水位降落漏斗得到控制与回升。在特殊干旱年和连续干旱年,地表水资源不足,或黄河水受到严重污染时,可多开采地下水资源,以地下水补充地表水供水之不足,实现地表水与地下水资源的联合调度。建议采取以下相应的措施:

(1)封井。在地下水严重超采、地下水位降落漏斗中心及近邻地区,平时增大自来水供水量、压缩地下水开采量。水管理部门可对城市区部分供水井采取封井的办法,一旦进入应急供水状态,可及时启动被封的供水井。

(2)调整、提高自备井地下水水价。目前郑州市区自来水厂供水水价较自备井地下水水价高出1倍之多,这样不利于压缩地下水开采量,造成地下水资源的浪费。应提高中深层水、深层水和超深层水的水价,等于或高于自来水水价。郑州市城市区这三层水均为宝贵的含锶和偏硅酸的矿泉水资源。深层水和超深层水一般水温可达30~43℃,具有饮用和热温洗浴、治病保健的功能。尤其是深层水和超深层水的水价应尽快调整、提高。

(3)鼓励开发利用浅层地下水。采取优惠水价的办法,鼓励环卫绿化、金水河补源、消防用水、已建人防工程区、抽水降低地下水位治理地质灾害、工业冷却用水、应急供水浅井等开采利用浅层水。

(4)推广人工回灌地下水技术,增加市区人工回灌地下水量。棉纺区冬灌夏用人工回灌地下水量已达120万 m^3/a 左右,起到了节能、节水、地下水采补平衡等方面的良好效益,应推广应用。

(五)调蓄、保护好水库蓄水,确保水库有足够的优质水资源

1.充分利用水库库容

根据不同气候年份水库来水量、水库蓄水量和防汛要求,提出水库需补源的水量,通过西流湖(邙山提灌站提引黄河水输入)水库调蓄压入尖岗水库和常庄水库。确保这两座水库有3 000万~4 000万 m^3 的蓄水量。以防黄河应急事件发生时可充分发挥这两座水库的调蓄功能,向城市区供水。

2.保护好水库水质

认真贯彻落实《郑州市饮用水源保护条例》,制定水库饮用水源保护规划,建立水库饮用水源保护区,颁布水源保护区管理办法,对水、土、林、工农业、城市供水、旅游等进行综合规划和整治。

1)强化管理,以法保水

(1)水源保护区内禁止新建有毒有害污染水源的建设项目;已建的要限期治理"三废",对限期治理不达标排放的应停产、转产。

(2)不准在保护区内设置垃圾堆放场,已有的应迁出或经科学处理,综合利用,严防渗漏污染水库水源。

(3)保护区内农田应不用或少用污染水灌溉。已有的污灌区,应限期改用清水灌溉。严禁使用剧毒农药。化肥应适当控制使用量。

(4)严禁向保护区内地表水体倾卸毒、害物品及污染物;水库附近的厕所、粪池应做防渗处理。

2)建设"水源森林"

保水最有效的手段之一是爱护和增加植被,以涵养水源。在水库补给区和保护区,应将建设密集林带,列为郑州市的一项重要战略工程。其一,可以增大水资源涵蓄量,集中降水期的弃水可通过密集林带拦截、调蓄到地下,增大地下水的补给量;其二,起到分洪减

轻城市洪涝灾害的作用。

(六)规划新建应急供水井

1.应急供水井的规划原则

(1)统筹规划,合理布局。根据水文地质条件和水资源条件,在目前以自来水系统供水为主的重要单位、生命线工程、用水量大的企业和居民密集区,合理布局新建一批应急供水井。规划浅井、中深井和深井,分层取水,以浅井和中深井为主。

(2)分质供水。按单位需水要求分质供水。浅层地下水主要作为用水量大的企业冷却生产用水等。中深层水和深层水水质较优,主要作为生活饮用水。

(3)新建应急供水井与水资源优化管理相结合。包括:增加自来水供水系统供水量,压缩地下水开采量;限量合理开采深层水和超深层水;在地下人防工程充水地区、用水量大及供水井少的企业、金水河补源、环卫绿化、公园、广场,应充分开采浅层地下水作为供水水源。

2.新建应急供水井分布

郑州市区有重要单位及生命线工程和人口密集居民区、住宅小区共 168 个,其中用自来水系统供水的单位 129 个,用井水供水的单位 9 个,混合用水单位 30 个。在这 168 个单位中,已有自备井可解决用水的单位 22 个。可以用近邻单位已有井供水的单位 81 个。本单位无自备井、近邻单位无法为其供水、需规划新建应急供水井的单位 65 个。拟规划新建应急供水井 68 眼,平均单井出水量 40m³/h,日可供水量 4.35 万 m³。其中:主要用于工业冷却水新建 100m 深的中深井 13 眼;人口多、需水量大,主要解决饮用供水规划新建井深 350m 的中深井 42 眼;考虑分层开采、又有经济能力的,规划新建井深 600m 的深井 13 眼。

(七)节约用水

要采取强有力的综合措施,切实把节水工作抓紧抓好,力争 2003 年把郑州市建成为节水型城市。包括:加强节水队伍建设,完善城市节水管理网络;制定节水方针政策和节水目标,赏罚分明;计量收费,查漏堵漏,提高工业用水重复利用率;推行分质供水,以质论价的办法;积极开发和推广普及节水新技术和新工艺;推进污水资源化等。

(八)加强宣传

大张旗鼓地开展"以综合的水管理来保证城市稳定"为主题的宣传。着力改变旧观念,提高对水的经济价值的认识。"管水、节水、保水、治水"这个综合水管理的全过程、合理利用水资源目标的实现,关键在于人们是否重视。

九、几点认识

(1)当前,以水资源紧缺、水污染严重和洪涝灾害为特征的水危机,已经成为我国可持续发展的重要制约因素,成为实现新时期经济社会发展目标具有基础性、全局性和战略性的重大问题。全国有 400 多座城市缺水,有 90%的城市水域受到不同程度的污染,突发性水污染事故时有发生。如:河南省的新乡、濮阳、漯河市,安徽省蚌埠等城市,均因为严重的地表水污染事故,而曾出现迫使城市自来水公司地表水水源厂关停,城市供水受到严重影响。所以,研究并制订城市应急供水方案与对策,对城市社会经济可持续发展具有重要的现实意义。

(2)郑州市城市应急供水方案涉及到黄河水、地下水、水库储水的开发利用与联合调度。要把"管水、治水、用水、保水"作为有机整体进行科学规划,综合治理,实现水资源可持续利用。实现这个目标,必须首先要查清水资源,这是做好城市应急供水最重要的基础性工作。为此,我们在完成郑州市城市应急供水方案与对策研究时,首先完成了以下调查评价工作:①郑州市城市水资源评价、供水及用水现状调查;②黄河郑州花园口、邙山提灌站水文动态分析与预测;③尖岗、常庄水库水文动态及应急供水可行性分析;④郑州市城市供水井基本情况调查、重要单位和生命线工程供水现状及新建应急供水井的可行性评价与规划;⑤黄河失去供水意义时郑州市城市应急供水方案与对策。

(3)要重视地表水、地下水多目标水动态监测网络建设,包括对新老水源地、水库储水及其保护区内的补给量(蓄水量)、开采量、水质、水位等多目标监测。提出保护与治理对策。而当前,较多的城市在水环境质量评价及水环境承载能力的研究评价方面比较薄弱。

(4)如何使城市应急供水方案与城市交通、电力、天然气、医疗急救等生命线工程抢救处置应急系统(方案)相互结合、取长补短、资源共享等方面,应加强研究与探索。

(2002 年 8 月)

河南地下水资源开发利用与生态环境

一、河南省严重缺水

河南省位于我国中部、黄河中下游,总面积 16.7 万 km^2,其中,山地、丘陵面积 7.4 万 km^2,平原区面积 9.3 万 km^2。西部和南部为山脉,东部为广阔平原。河南位于南北气候和山区到平原的两个过渡带。河流分属长江、黄河、淮河、海河四大流域。特殊的地理位置和气候条件形成了水资源短缺、水旱灾害频繁的自然特点。

河南省属我国严重缺水省份之一。水资源量少,时空分布不均。全省多年平均地表水资源量 313 亿 m^3,地下水资源量 204 亿 m^3,扣除两者重复计算量 104 亿 m^3,全省水资源总量为 413 亿 m^3。人均水资源占有量 440m^3,每公顷耕地平均6 075m^3,均为全国平均水平的 1/5。尤其是豫北和豫东平原地区,水资源供需矛盾更为突出,人均水资源占有量只有 275m^3,平均每公顷耕地3 900m^3。

据测算,现状平水年份需水总量为 300 亿 m^3,其中农业需水 210 亿 m^3,工业需水50 亿 m^3,城乡生活和环境需水 40 亿 m^3,与现有工程可供水量 260 亿 m^3 相比,缺水 40 亿 m^3。遇中等干旱年和大旱年,缺水更为严重。

2020 年,全省工业产值要翻两番,考虑产业结构调整和工业节水技改等因素,2020 年工业需水约 70 亿 m^3,城镇化率由现状的 25% 增长至 2020 年的 50%。全省总人口控制在 1 亿以内,经测算,生活需水量约 65 亿 m^3;环境需水量按 20 亿 m^3 考虑;农业需水量维持 210 亿 m^3;2020 年全省总需水量 365 亿 m^3,与现状工程可供水量相比,缺水量达105 亿m^3。要实现经济、社会和环境的协调发展,为全面建设小康社会提供水资源保障,开发利用水资源的任务仍十分艰巨。

二、河南省地下水资源量及水质

(一)地下水赋存条件

依据地下水赋存条件和含水层特性,可划分为 5 个含水岩组,即松散岩类孔隙含水岩组、碳酸盐岩类裂隙岩溶含水岩组、碎屑岩类孔隙裂隙含水岩组、岩浆岩类裂隙含水岩组、变质岩类裂隙岩溶含水岩组。松散岩类孔隙含水岩组,由于其富水性和开发利用条件好,是河南省地下水开发利用的主要对象。

松散岩类孔隙含水岩组根据含水层的埋藏深度,可划分为浅层含水层组(深度一般60m 左右),中深层含水层组(深度一般 60~150m),深层含水层组(深度一般大于150m)。郑州、开封、新乡等城市,有部分供水井开采 500~1 200m 深度的超深层承压水。就全省而言,以开采利用浅层地下水为主。

基岩含水岩组主要为碳酸盐岩类含水岩组,由寒武、奥陶系灰岩、白云质灰岩、泥质灰岩组成。主要分布在太行山区、嵩箕山区、栾川—卢氏一带山区及淅川县。在侵蚀基准面以下,有较丰富的裂隙岩溶地下水,较多形成大泉,如辉县市百泉,安阳市小南海泉、珍珠泉,鹤壁市许家沟泉等。

(二)地下水资源量

据地矿部门评价,河南省浅层地下水天然补给资源量为 164.58 亿 m^3/a。地下水可采资源量 163 亿 m^3/a,其中,平原区面积 10.93 万 km^2,孔隙水可采资源量 134.54 亿 m^3/a(包括矿化度 1~3g/L 微咸水 5.44 亿 m^3/a,矿化度 3~5g/L 半咸水 1.68 亿 m^3/a)。山丘区面积 5.77 万 km^2,岩溶水可采资源量 19.06 亿 m^3/a,裂隙水为 9.41 亿 m^3/a。

深层地下水(深度一般为 100~300m)计算面积 8.51 万 km^2,可采资源量为 10.47 亿 m^3/a。

浅层地下水以降水入渗补给为主,其次为河流侧渗、渠道渗漏、山前侧渗和田间灌溉回渗补给。浅层水排泄主要为开采利用,其次为蒸发排泄、河流排泄、径流排泄及越流排泄。浅层水动态类型有:入渗—蒸发型、入渗—蒸发·开采型、侧渗—蒸发或侧渗—开采·蒸发型、径流—开采型、引灌—蒸发·开采型。

深层水主要有越流补给和侧向径流补给。主要为开采利用排泄、径流排泄及越流排泄。深层水动态类型有径流型和径流开采型。在开采条件下,产生浅层水与中深层水、深层水的水位(水头)差,相互越流补排作用明显。据 1998 年郑州市城市地下水资源评价报告,评价区面积 983.25km²,浅层水总补给量 16 212.18 万 m^3/a。浅层水消耗量 22 904.13 万 m^3/a,其中越流补给中深层水量 9 230.36 万 m^3/a,占浅层水消耗量的 40.3%。中深层水总补给量 11 135.98 万 m^3/a,其中来自浅层水的越流补给量占 82.9%。评价区浅层水对中深层水的越流补给模数平均为 9.4 万 m^3/(km^2·a),中心区高达 20 万 m^3/(km^2·a)左右。

(三)地下水水质

河南省山区、丘陵岗地和山前倾斜平原中上部为地下水水化学溶滤带,一般为重碳酸型低矿化度淡水,大部分地区小于 1g/L,山前局部低洼地带为 1~2g/L 微咸水。

由山前向平原延伸,浅层水水化学特征具有明显分带性。尤以黄河冲积扇更为突出。郑州、新乡以西扇顶部位,地下水径流条件好,为矿化度小于 1g/L 的重碳酸型淡水。向东逐渐过渡为重碳酸·硫酸型水,为矿化度 1~2g/L 的微咸水。黄河冲积扇前缘地带的商丘、安阳、濮阳一带,地下水径流滞缓,出现重碳酸·硫酸型、重碳酸·氯化·硫酸型和氯化·硫酸型水,矿化度 2~3g/L,局部 3~5g/L。

在黄河冲积平原、太行山前倾斜平原和南阳盆地,还分布高氟水和高铁、高锰水。一般属原生水文地球化学异常。

豫东、豫北平原的兰考、商丘、新乡、内黄、濮阳一带,呈现斑状、条带状不连续分布浅层微咸水和半咸水,矿化度 2~5g/L,局部大于 5g/L,浅层咸水面积 5 187km²。中深层和深层咸水区面积约 1.18 万 km²。咸水体底板埋深 150～350m,波状起伏,水体厚度 50～300m 不等。垂直方向分布规律一般为淡(浅层水)—咸(中深层水)—淡(深层水)类型。在部分浅层咸水分布区出现咸(浅层水、中深层水)—淡(深层水)类型。

大面积地区中深层水和深层水为重碳酸型淡水。岩溶水水质良好,属低矿化度、低硬度淡水。郑州、新乡、开封、安阳、商丘、淮滨等大范围平原区,深层水为含偏硅酸和锶天然饮用矿泉水。

另外,陕县、鲁山、商城等地分布有 35 处温泉,水温 34～69℃,其中大部分为高氟温泉,氟含量超过 10mg/L,鲁山下汤高达 24.8mg/L。温泉水 pH 值多大于 8,以钠和二氧化硅含量较高为其特征,主要水化学类型为重碳酸—钠、重碳酸·硫酸—钠和硫酸·重碳酸—钠型,具有良好的治病保健作用。

三、地下水资源开发利用现状

1999 年河南省年平均降水量 601.8mm,介于偏枯年份和枯水年份之间。故选择 1999 年作为典型年,更能代表河南省水资源开发利用现状和近期一般年份情况。

(一)水资源开发利用

1999 年全省总供水量 228.57 亿 m³。其中地表水供水 98.60 亿 m³,地下水供水 129.70 亿 m³,污水回用和雨水利用 0.27 亿 m³。1999 年引入过境水 35.07 亿 m³,其中利用过境的蓄水工程供水 2.49 亿 m³,引黄河干流的水 20.04 亿 m³,扣除利用的过境水后当地水供水量 193.5 亿 m³。各种水源供水情况详见表 1。表中数据说明,地下水是河南省主要供水水源,占总供水量的 56.8%,扣除引入过境水后,则占 67.0%。

表 1　　　　　　　　　河南省 1999 年各种水源供水情况

水源及供水工程名称		总供水量			当地水供水量		
		水量(亿 m³)	占总量比(%)	占地表水、地下水比(%)	水量(亿 m³)	占总量比(%)	占地表水、地下水比(%)
地表水	蓄水工程	38.91	17.0	39.5	36.42	18.8	57.3
	引水工程	47.53	20.8	48.2	14.95	7.8	23.5
	提水供水	12.16	5.3	12.3	12.16	6.3	19.2
	小计	98.60	43.1	100.0	63.53	32.9	100.0
地下水	浅层水	108.41	47.5	83.6	108.41	56.0	83.6
	中深层水	21.29	9.3	16.4	21.29	11.0	16.4
	小计	129.70	56.8	100.0	129.70	67.0	100.0
其他		0.27	0.1		0.27	0.1	
合计		228.57	100.0		193.50	100.0	

1999 年全省总用水量 228.57 亿 m³,其中农业用水 159.69 亿 m³,占总用水量的 69.9%(用于农田灌溉 151.51 亿 m³,占总用水量的 66.3%,用于林果灌溉和鱼塘补水 8.18 亿 m³,占 3.6%);工业用水 40.40 亿 m³,占总用水量的 17.7%,其中国有和规模以上工业用水 31.88 亿 m³(火电用水 9.52 亿 m³、一般工业用水 22.36 亿 m³),非国有及规模以下工业用水 8.52 亿 m³;生活用水 28.48 亿 m³,占总用水量的 12.5%,其中用于城镇生活 10.28 亿 m³,用于农村生活 18.20 亿 m³(其中农村居民生活用水 11.98 亿 m³,人均日用水 41.8L;大小牲畜用水 6.22 亿 m³,平均每头日用水 22.0L)。城镇各种用水 24.24 亿 m³,占总用水量的 10.6%,农村各种用水 204.33 亿 m³,占总用水量的 89.4%。各种用水指标见表 2。

表 2 　　　　　　　　　　　　1999 年各种用水指标统计

项目	人均用水量 (m³/人)	万元 GDP 用水量 (m³/万元)	农田实灌平均用水量(m³/hm²)	人均生活用水量(L/d)		万元工业产值用水量 (m³/万元)
				城镇生活	农村生活	
全国	440	680	7 260	227	89	91
全省	241	497	3 510	175	63	69
实施区	310	639	4 155	157	63	79

(二)地下水开发利用

1.地下水开发利用现状

1999 年全省地下水开采总量 129.7 亿 m³,占总供水量的 56.7%,扣除引入过境水后,占当地水供水量的 67.0%。其中农田灌溉开采 79.37 亿 m³,占其用水量的 52.4%;林果灌溉和鱼塘补水 4.33 亿 m³,占其用水量的 52.9%;工业开采 23.44 亿 m³,占其用水量的 58.0%(其中非国有及规模以下工业开采 6.65 亿 m³,占其用水量的 78.0%);城镇生活开采 6.24 亿 m³,占其用水量的 60.6%;农村生活开采 16.33 亿 m³,占其用水量的 89.7%。地下水由于水质好、供水稳定等有利条件,已成为工业和生活用水的主要供水水源。

2.地下水开发利用分析

河南省地下水开发利用历史悠久,早期主要用于生活和灌溉,新中国建立初期井灌面积在耕地面积和灌溉面积中所占比重都比较小。经过 1965 年、1966 年连续两年大旱,井灌面积快速增加,特别是 20 世纪 90 年代以后,由于地表水量减少,且污染严重,灌溉面积的增加基本是靠井灌(见表 3)。

城镇供水也同样是靠开采地下水。20 世纪 90 年代以后,地下水在城镇总供水能力中所占比例,全省城市平均 60%以上,县城 80%以上(见表 4)。全省总供水量中,地下水开采量在总供水量中的比例从 90 年代初到 90 年代末,由 45%左右增加到 60%左右,而地表水供水量则由 60%左右降到 45%左右。扣除引用入过境水,则地下水开采量占的比重更大。80年代以后,特别是90年代,河南省基本依靠大量并采地下水来保证工农业生产发展以及人民生活水平改善和提高的需要。

表3 河南省耕地、有效灌溉面积、井灌面积统计

年份	耕地 (万 hm²)	有效灌溉 (万 hm²)	井灌 (万 hm²)	有效灌溉占耕地比 (%)	井灌占耕地比 (%)	井灌占有效比 (%)
1950	821.3	42.3	11.1	5.2	1.3	26.1
1960	800.5	213.7	51.7	26.7	6.5	24.2
1970	744.5	251.2	113.7	33.7	15.3	45.2
1980	712.8	387.1	197.7	54.3	27.7	51.1
1990	693.3	355.0	202.5	51.2	29.2	57.0
1995	680.6	404.4	266.2	59.4	39.1	65.8
2000	682.6	464.9	323.2	68.1	47.3	69.5

表4 河南省城市、县城供水综合生产能力统计

年份	城 市			县 城		
	总供水能力 (万 m³/d)	地下水供水 (万 m³/d)	地下水供水占比例 (%)	总供水能力 (万 m³/d)	地下水供水 (万 m³/d)	地下水供水占比例 (%)
1996	897.8	601.9	67.0	170.3	154.0	90.4
1997	887.6	562.9	63.4	180.6	150.1	83.1
1998	901.1	563.0	62.5	194.9	166.1	85.3
1999	915.6	562.4	61.4	196.5	158.8	80.8
2000	958.8	592.2	61.8	191.8	158.3	82.5

四、地下水过量开采引起的生态环境问题

生态环境是人类赖以生存、发展的基本条件和物质基础,而环境的脆弱已成为实现可持续发展的重要制约因素之一。由于气候、水文条件、地形、地貌特征、水文地质条件差异和人为活动的影响,伴随大规模的过量开发利用地下水资源,河南省水环境负效应问题比较突出,主要表现在以下几方面。

(一)地下水位下降,形成大面积降落漏斗

1.浅层地下水降落漏斗

1999年河南省机电井总数112.8万眼,井灌面积320多万公顷,地下水开采量129.7亿m³,其中浅层水开采量108.4亿 m³,造成平原区大面积浅层地下水位埋深大于4m,其中大于8m埋深区面积增加到8 045km²,占平原面积的9.5%。主要集中在濮(阳)清(丰)南(乐)、温(县)孟(州)、商丘和许昌等主要大漏斗。濮清南漏斗面积已达6 400 km²,中心水位埋深22.77m。温孟漏斗面积935km²,中心水位埋深22.50m。这两个漏

斗面积已占豫北平原面积的36.4%。而且漏斗面积仍在逐年扩大,中心水位逐年下降。见表5及图1、图2。

表5 河南省平原区浅层地下水主要漏斗变化统计

年份	濮清南漏斗		温孟漏斗		商丘漏斗		许昌漏斗	
	面积(km²)	埋深(m)	面积(km²)	埋深(m)	面积(km²)	埋深(m)	面积(km²)	埋深(m)
1980	1 405	14.69	338	16.00	15	13.54		
1990	5 611	15.92	483	18.27	64	19.20		
1993	5 970	19.56	570	19.54	68	23.34	104	11.25
1995	6 132	20.15	620	21.18	110	23.69	250	14.65
1997	7 010	22.65	670	22.50	200	24.44	228	14.57
1999	6 400	22.77	935	22.50	378	18.72	200	10.10

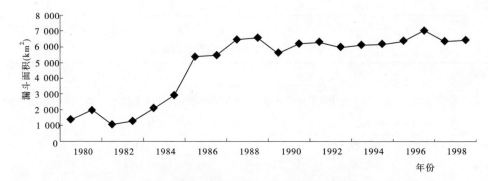

图1 濮清南浅层水漏斗面积逐年过程线图

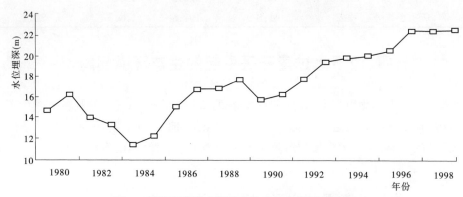

图2 濮清南浅层水漏斗中心水位埋深过程线图

2.中深层地下水降落漏斗

河南省18个省辖市中,信阳市以地表水作为供水水源,郑州、开封、平顶山、鹤壁、安阳、漯河、三门峡、洛阳市为地表水和地下水联合供水,其他城市均以地下水作为供水水源。由于城市工业布局集中,井群密度大,导致城市主要供水层严重超采,地下水水位急剧下降,商丘、许昌、新乡、濮阳、焦作、鹤壁等市均产生了浅层水与中深层水、深层水、岩溶水复合降落漏斗。其中商丘市、许昌市由于地下水资源贫乏,超量开采严重,中深层水和深层水水位下降更为突出。

商丘市自 20 世纪 90 年代以来,浅层地下水水位呈持续下降趋势,降落漏斗面积每年扩大 25km²,1999 年面积达 378km²;中深层水为咸水,未利用;深层水水位降幅达 1.73m/a,2001 年降落漏斗面积达 390km²,漏斗中心水位埋深达 64.5m。

许昌市是我国 40 个缺水城市之一。据计算统计,1999 年浅层地下水可开采量 1 445 万 m³/a,中深层地下水可开采量为 1 593 万 m³/a;而浅层地下水实际开采量 1 834 万 m³/a,中深层水开采量为 4 662 万 m³/a,1999 年浅层水和中深层水共超采 3 458 万 m³。多年来,一直处于超采状态。1999 年中深层水降落漏斗面积 75km²,漏斗中心水位埋深达 78.4m。商丘市、许昌市历年地下水漏斗面积见图 3。

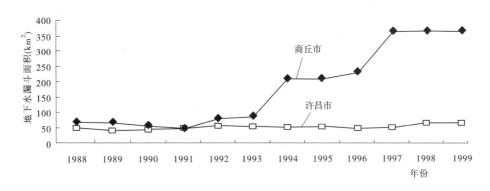

图 3　商丘市、许昌市中深层水漏斗面积图

(二)地下水水质污染

1.浅层水污染现状

根据《地下水质量标准》(GB/T14848—93)对河南省地矿系统 1996～1999 年采集 407 组地下水水样的水质检验资料进行综合评价,407 组水样中,符合《地下水质量标准》优良级的(I 类,$F<0.8$)只有 2 组;符合良好级的(II 类,$F=0.8\sim<2.5$)106 组,占 26.0%;符合较差级的(IV 类,$F=4.25\sim<7.20$)220 组,占 54.1%;符合极差级的(V 类,$F>7.20$)79 组,占 19.4%。说明浅层地下水污染已相当严重。主要污染因子为矿化度、总硬度和三氮(氨氮、硝酸盐氮、亚硝酸盐氮)等。

2.浅层水污染源

浅层地下水污染源主要来自两个方面。

一是地面垃圾和工业固体废弃物堆放未采取有效防渗措施或措施不当,被雨水淋滤溶解下渗,造成地下水污染。这种污染有逐年加剧趋势,见表 6。

表6	商丘市沈楼井总硬度、SO_4^{2-} 含量动态变化									(单位:mg/L)	
项目	1990 年	1991 年	1992 年	1993 年	1994 年	1995 年	1996 年	1997 年	1998 年	1999 年	2000 年
SO_4^{2-}	98.0	125.8	139.8	84.1	86.5	102.0	158.3	137.3	130.1	163.5	217.1
总硬度	828.0	728.5	810.0	804.0	780.0	844.3	1 000.4	983.5	1 056.0	1 029.0	1 087.0

二是河流由山区进入平原后,接纳城镇工业和生活排放的废污水。1999年全省废污水排放量达20.41亿t,2000年为22.77亿t。废污水的排放造成地表水严重污染。据水利系统对全省13个水系的67条主要河流、128个主要河段、长度5 100km的水质监测评价,劣于Ⅴ类水质标准的河流长占评价河流总长的54.3%～54.8%,该类河流水体已受严重污染,失去供水功能;有1 400余公里长的河流水质较好,符合Ⅰ～Ⅲ类水质标准,占评价河流总长的27.5%～27.9%;符合Ⅳ类水质标准的河流长357～440km,占评价河流总长的7.0%～8.6%;水质标准Ⅴ类的河流长487～530km,占评价河流总长的9.6%～10.2%。在评价河段中的65.4%～66.1%,遭受有机污染。

开采条件下,地下水位下降,大多数平原河道由排泄地下水转向对地下水的侧渗补给,造成沿河展布的浅层地下水污染带,污染带宽度一般可达1～3km。如鹤壁市浚县卫生防疫站对卫河沿岸64个村庄、79眼深度10～30m饮用水井水质化验资料表明,全盐量、总硬度、亚硝酸盐氮、氟化物等均出现不同程度的超标。在79眼浅井中有61眼井水中的亚硝酸盐氮含量达《地下水质量标准》的Ⅳ类水质标准,有的井水超标数十倍。

3.中深层地下水污染

城市区因地下水位下降,导致污染河水和地面污染物污染浅层地下水,浅层地下水又因越流和中深井成井质量(主要是止水质量)不好而对中深层水产生污染。新乡市11眼中深井的监测结果,均超过Ⅲ类水水质标准。许昌市市区中深层井中达到Ⅱ类水水质标准的只占5.6%,达到Ⅲ类的占22.2%,达到Ⅳ类的占50%,达到Ⅴ类的占22.2%。

郑州市中深层水亚硝酸盐超标较严重,与浅层水污染密切相关。商丘市深层地下水矿化度增高,与中深层咸水越流补给有关。

(三)地面沉降

河南省平原区第四纪及新第三纪河流、湖泊相沉积厚度大,岩性以黏性土及砂层为主,胶结程度差,其中黏性土孔隙比大,压缩性强,大量抽取地下水后,水头压力降低,使地层压密,产生地面沉降。

据地震部门大地水准测量资料,豫北平原区较大范围地面沉降分布区与地下水位下降区分布基本一致。

许昌市由于过量开采地下水,中深层水位大幅度下降,导致地面沉降。1957～1989年最大沉降量达277mm,地面沉降量大于50mm的面积达54km²。

濮阳市累计地面沉降量57mm,沉降区面积140km²。

开封市累计最大地面沉降量242mm,沉降区面积182km²。

洛阳市以上海市场为中心的地面沉降区5km²,中心沉降速率为5.2mm/a。

(四)泉水枯竭,湿地萎缩,土地沙化

由于过量开采地下水,使地下水位下降,已造成一些地区生态环境恶化,主要有泉水枯竭,湿地萎缩,土地沙化。

1.泉水枯竭

辉县市百泉为岩溶水天然排泄点,泉域面积700km²。1979年前百泉最大流量

8.6m^3/s(1964 年 11 月),最小流量 0.64m^3/s(1975 年 6 月),多年平均流量 3.89m^3/s,未出现过断流干涸。1978 年至今,已在泉域内建岩溶水井 140 余眼,岩溶水开采量达 7 360 万 m^3/a,地下水位下降,造成百泉经常出现断流。

安阳市小南海泉泉域面积 1 000km^2,由于在泉域内的浅井和深井均超过 500 眼,还有较多煤矿矿坑排水,加上红旗渠引水量的减少,使得泉流量呈逐年减小趋势。见表 7 及图 4。

表 7 安阳市小南海泉各时段动态资料

时段(年)	泉流量(m^3/s)	岩溶水开采量(万 m^3/a)	红旗渠引水量(万 m^3/a)
1971～1976	8.06	1 467.98	27 850.00
1977～1989	5.62	2 817.10	19 607.69
1990～2000	4.48	6 614.25	6 000.00

图 4 安阳市小南海泉流量过程线图

2.湿地萎缩

豫北新乡、卫辉和延津接壤的黄河故道湿地鸟类保护区,总面积 247.8km^2。1996 年批准为国家级自然保护区。

该区地势低洼,地表水体主要来源于天然降水汇集、引黄灌溉退水以及地下水的交换。水流缓慢,属封闭性水体,平均水深 1m,最深处 2m,河道两侧积水洼地较多,浅层地下水埋藏较浅,部分地段与地表水直接相通,构成湿地水循环系统。

由于该区为常年性积水洼地,水生动植物物类丰富,为鸟类栖息繁殖、迁徙提供了良好环境。但是近年来地下水位已下降 1～2m,使水面萎缩,湿地面积已由 3 000hm^2 减少到 600hm^2,水污染严重,物种生存和繁衍受到一定威胁。

3.土地沙化

地下水位持续下降,致使包气带变厚、水分供应不足,从而导致植被衰退,表土裸露且缺乏水分黏结,风蚀现象日益突出。特别是黄河冲积平原区,其地表岩性多以粉土为主,随着地下水开采量的增大,地下水位下降,土地沙化有加重的趋势。

安阳市东部平原区的内黄县、滑县地表径流可利用量少,工农业及生活用水主要靠地下水和少量外调水。由于长期过量开采地下水,地下水位大幅度下降,现状浅层地下水位埋深一般为 12～16m,局部大于 16m,造成土地沙化加剧,风沙面积扩大。如内黄县硝河以西、内汤公路以南地下水位降落漏斗区,1994 年沙荒地面积为 4 800hm^2,2001 年已达 5 330hm^2。

五、地下水合理开采对生态环境的改善

(一)调控合理地下水位,治理旱涝盐碱

历史上,河南省平原区旱涝盐碱相随,长期影响农业的发展。20 世纪 50 年代后期至 60 年代初,豫东、豫北平原大搞引黄灌溉,而忽视了排水,使地下水位上升过浅,土壤盐渍化面积扩展到 80 余万公顷,农业生态条件十分恶化。经过水利、地矿、农业等部门科技工作者的科技攻关研究和广大群众的长期探索,总结出农、水、林、土、肥综合治理旱涝盐碱地的措施,取得了良好效果。笔者认为,实施以水利改良、调控合理地下水位为主的方法,是综合治理平原旱涝盐碱行之有效的关键措施。采取井灌井排,井渠结合,采补并重,抽咸补淡,引黄灌区有灌有排、以水治碱、以淤改土,遵循自然规律,合理开采地下水,调控合理地下水位,使“盐随水来,盐随水去”,大面积盐碱涝灾得到较快的治理,现在全省盐碱地面积不足 6 万 hm^2。大片昔日的涝碱地,如今已成为生态条件良好的农业稳产高产区。

(二)科学调蓄地下水库,解决供水水源

河南省中北部和东部地区降水量小,年际及年内降水变化大,地表水不足,且大多已被污染,但地下水相对较为丰富,对农业灌溉和城镇供水具有主导作用。1999 年全省农用机电井已达 112.8 万眼,多年来浅层地下水年开采量 120 亿～130 亿 m^3,成为我国地下水开采量最大的省份,也是全球少数几个规模大的井灌区之一。

大范围大量开采利用地下水,实际是对地下水库的人工调蓄。

一种形式是汛前灌溉季节充分开采地下水,既解决了春旱,又降低了地下水位,腾出地下库容,汛期进行蓄洪引渗,把洪涝水转化为地下水,以供第二年利用。

另一种形式是控制合理地下水位,人工夺取浅层水的无效蒸发消耗,扩大降水入渗。这不仅能增加补给,而且有利于治理旱涝盐碱等自然灾害。例如豫东平原商丘县,由于采取井灌井排等措施,大面积汛前地下水位埋深控制在 5～6m,汛后控制在 3m 左右。形成一个天然地下调节水库。使大片盐碱地不治自愈,洪涝灾害有所减轻或自然消除。10 万 hm^2 耕地中井灌面达 5.8 万 hm^2,改造盐碱地 1.13 万 hm^2,1992 年全县粮食产量达 4.5 亿 kg(治理前为 2.77 亿 kg)。河南省 2000 年耕地面积 682.6 万 hm^2,有效灌溉面积 464.87 万 hm^2,井灌面积 323.2 万 hm^2,井灌面积占有效灌溉面积的 69.5%。从根本上扭转了长期以来“南粮北调”的被动局面。河南省粮食自给有余,并为国家做出了贡献。

大规模开采利用地下水,加速了地下水的交替条件,使一些原生或次生水文地球化异常区的咸水、高铁水、高锰水、高氟水、高硬度水等源源不断地被抽排,以大气降水为主的淡水入渗补给,劣质水质明显淡化,加快了这些地区生态环境的改善。

如豫北平原汤阴县北部,同位于汤河、羑河冲洪积扇中部,水文地质条件相似,长时间抽水的供水井的水质,明显好于间歇性抽水供水井的水质(见表 8)。

表8	汤阴县水厂供水井与农用机井水质对比				（单位:mg/L）
井位	抽水方式	总硬度	矿化度	硫酸盐	硝酸盐(以N计)
县水厂供水井	长时间连续抽水	449	796.4	166.2	5.85
羑河村农用井	间歇性抽水	549.5	973.6	360.7	7.81
七里铺农用井	间歇性抽水	549.5	915.8	247.8	8.66

除了上述之外,开采利用地下水,解决了河南省缺水山区111余万人的生活用水困难及大量牲畜饮水问题;2000年河南省城市和县城总供水能力为1 150.6万 m³/a,地下水供水量750.5万 m³/a,占65.2%。随着城镇化建设的推进,地下水供水的比重会进一步增大;开采利用符合生活饮用水卫生标准的地下水,在防治地方病方面起到了关键作用;太行山前焦作等市大水矿床实行排供结合,为解决城市或厂矿供水发挥了重要作用;还有地热水、地下矿泉水的开发利用也具有良好的综合效益等。这些都说明地下水的合理开发利用,对河南省经济社会发展和生态环境治理与保护,具有十分重要的意义。

六、实现地下水资源可持续开采利用的对策

在水资源日益短缺,水浪费和水污染严重的难题面前,应采取综合有效对策,控制地下水开采,保护地下水资源,已成为河南省水资源可持续利用的重要任务。

(一)地下水保护的原则

总的原则是开源节流、保护环境、强化管理、平衡供需,实现水资源可持续利用。重点应突出以下几个方面:

(1)开源节流与保护并重,以节流为主。

(2)水质水量并重与生态环境保护相结合,提高城市污水处理率和回用率。

(3)地表水与地下水统筹规划,联合调蓄,综合利用。

(4)协调水资源开发与生态环境的关系,防止生态环境恶化,把环境效益放在首位。

(5)加强管理,公众参与,增强全社会与公众用水的环保意识和节水意识。

(二)综合措施

应用系统理论,采取综合措施,实现地下水资源的可持续开发利用。

1.统一规划和调度

以流域或水文地质单元进行统一规划,统一调度,使管水、用水、节水、排水、防洪、排涝、污水处理与回用相互协调,实现城乡水务一体化管理。

2.完善法制,依法治水

抓紧制定与地下水资源保护密切相关的政策法规,加大立法执法力度。

3.合理调整水价

建立合理的水价形成机制,用经济杠杆促进节约用水,控制地下水的开采。

4. 优化城市供水结构

扩大城市自来水系统的剩余供水能力,做好城市区自备井的限采和禁采。储备地下水资源作为城市应急供水水源,提高城市供水的安全性。

5. 采取综合工程措施

(1)补源工程。雨洪拦蓄利用、引黄引河补源和人工回灌。

(2)替代水源工程。压缩减少地下水开采量,必须积极开发替代水源,主要有引黄引河和库(河)水量,农业节水灌溉新增节水量,煤矿排水综合利用量,城市自来水系统工程挖潜水量。

(3)生态环境建设工程。包括名泉保护;水质优良、水量丰富重要河道的保护;重要湿地保护;浅层水污染区中深井饮用改水;城市水环境综合治理。

(4)抓好城市节水和农业节水。

(5)建立地下水位、水量、水质、水温动态变化多目标监测网络,用地下水监测资料,指导地下水合理开采利用。

(6)抓紧建设城市、县城污水处理厂和污水回用工程。通过污水二级处理或污水深度处理,增辟水资源,主要用于农业灌溉、城市河湖环境换水、市政杂用水、工业用水。

(7)合理开采潜力资源量。据地勘部门评价资料,以下4个区尚有地下水潜力资源量24亿 m^3/a,应积极合理开采。包括:豫南、豫东南区地下水开采程度低、水位埋藏浅,可扩大地下水开采,使地下水位降到合理的深度,该区有潜力资源量15亿 m^3/a;黄河影响带有13个规划水源地,允许开采量165万 m^3/d,约6亿 m^3/a;开封东部杞县以北,地下水位埋深一般小于4m,预计可增加开采量1亿 m^3/a;南阳唐白河沿岸及驻马店泌阳县平原区,预计可增加开采量1亿 m^3/a;商丘北部谢集—李庄一带及郏县、宝丰汝河河谷平原地带,预计可增加开采量1.25亿 m^3/a。

6. 未超采区的保护

(1)浅层地下水。河南省浅层地下水未超采区总面积约47 419km^2,主要分布在沿黄河浸润带和豫东、豫南平原及南阳盆地,现状水位埋深普遍小于6m,是粮、棉、油主要产地。

河南省地矿、水利等部门,通过大面积浅层地下水资源评价攻关研究,典型点的试验研究及实践经验,总结出豫东、豫北平原浅层地下水位合理埋深为4m左右。控制这样一个水位埋深,其一,降水入渗补给量大;其二,有利于综合治理旱涝盐碱;其三,可以有效发挥已配套提水机具的功效。故在平原地下水未超采区,既要适当加大地下水开采,又要科学合理,调控地下水位埋深4m左右为宜。

黄河浸润带地势低洼,地下水受黄河侧渗补给和降水入渗补给影响,一般水位埋深2~3m,开采程度低,主要以蒸发形式排泄,地下水开发利用潜力较大。该地区应加强地表水与地下水联合运用、优化调度,扩大引黄灌溉水稻种植面积,加大地下水开采,使地下水位埋深降至4m左右,防止由于地下水位过浅造成土壤次生盐碱化。

豫东、豫南和南阳盆地现状年平均水位埋深3~5m。在满足生产、生活用水需求情况下,井灌布局应充分考虑当地浅层地下水补给条件和地下水位埋深现状,控制多年平均开采量在可开采量范围,保持以丰补歉,采补平衡,使多年平均地下水位埋深稳定在6m左右,防止造成大面积地下水位降落漏斗。远期,考虑南水北调中线工程实施,可极大地改善上述地区供水条件,减轻浅层地下水供水压力,通过压缩开采量,可使地下水位有所回升,但水位埋深以保持在4m左右为宜。

(2)中深层地下水。河南省18个省辖城市,多数城区中深层地下水均处于超采状态。故大多数城市区应加大限采、禁采力度,压缩开采量,降低开采系数,遏制水位持续下降和下降漏斗范围扩大。对于少数城市如济源市,应本着既满足城市经济社会发展需要,又应根据地下水资源条件,科学规划,合理开采中深层地下水资源,达到采补平衡,实现地下水资源可持续利用的目标。就大范围而言,应根据水文地质条件,在有开采潜力的地区,可采取小型分散型供水模式,适量开采中深层地下水资源。

七、结　语

河南省水资源十分贫乏,时空分布不均,水资源供需矛盾突出。要千方百计蓄住空中水,充分利用地表水,合理开发地下水,创造条件引用过境水,关键措施是搞好节水。有计划地建设一批蓄水、调水、引水工程,可新增供水能力70亿 m^3。据水利部门预测,至2020年各种水利工程总供水能力有望达到330亿 m^3。预测一般平水年份,全省总需水量365亿 m^3,仍缺水35亿 m^3。

为此,从长远看,解决河南省水资源不足的矛盾,一是要依靠科技进步,大力抓好农业节水、工业节水和城镇生活节水,建立节水型社会,提高水资源利用率;二是有计划地兴建一批大型骨干供水工程,争取南水北调中线工程早日实施,建设出山店、前坪、河口村等大型水库;三是启动并实施《河南省地下水保护行动计划》;四是建设地下水库调蓄工程,最大限度地对降水和地表水进行拦蓄和多年调节,增加当地径流利用系数。开发地下水库具有占用土地少、蒸发消耗量小、调蓄能力强、引灌工程简便、工程周期短、耗资少、效益高等优点。据地勘部门规划17个条件良好的地下调蓄库,库区分布面积3 443 km^2,预测地下水库库容可达62.84亿 m^3,最佳调控水量12.86亿 m^3/a。地表水与地下水联合调蓄,可达到"开采—回灌"的动态平衡。

通过以上综合治理对策措施,遏制地下水超采和水质恶化,对未超采区实施积极保护,逐步实现地下水采补平衡,改善生态环境,以水资源的可持续利用,促进和保障区域经济社会的可持续发展。

本文编写参考利用了河南省水利厅2003年编《河南省地下水保护行动计划》、河南省地质矿产勘察开发局2002年编《河南省地下水资源与环境研究》和陈梦熊院士1998年著《中国水文地质环境地质研究》等成果中的有关资料,在此表示谢意。

(2003年12月)